名探偵コナン

怪盗キッドセレクション　月下の予告状《イリュージョン》

酒井 匙／著　青山剛昌／原作・イラスト

★小学館ジュニア文庫★

怪《かい》盗《とう》キッドの驚《きょう》異《い》空《くう》中《ちゅう》歩《ほ》行《こう》

DETECTIVE CONAN

KID THE PHANTOM THIEF SELECTION

はぁ〜っ。

映画館《えいがかん》を出《で》るなり、鈴木園子《すずきそのこ》が大《おお》きなため息《いき》を吐《は》き出《だ》した。

「どうしたの？　この泥棒映画《どろぼうえいが》、観《み》に行《い》こって誘《さそ》ったの園子《そのこ》でしょ？」

一緒《いっしょ》に映画《えいが》を観《み》に来《き》ていた毛利蘭《もうりらん》が、不思議《ふしぎ》そうな視線《しせん》を向《む》けた。隣《となり》には、江戸川《えどがわ》コナンの姿《すがた》もある。

「だあって〜〜〜最初《さいしょ》のはイケてたからすっごく期待《きたい》してたのに、あれじゃやってる事同《ことおな》じじゃない!!」

わめくように言《い》うと、園子《そのこ》はがっくりと肩《かた》を落《お》とした。

園子《そのこ》が、蘭《らん》とコナンを誘《さそ》ってわざわざ映画館《えいがかん》まで観《み》に来《き》た映画《えいが》のタイトルは——『オッサンズ11　パート2《ツー》』。十一人《じゅういちにん》の曲者《くせもの》のオッサンが、チームを組《く》んで大金《たいきん》を盗《ぬす》み出《だ》す犯罪映画《クライム・ムービー》だ。大《だい》ヒットした作品《さくひん》の続編《ぞくへん》でもあり、前作《ぜんさく》を気《き》に入《い》っていた園子《そのこ》はおおいに期《き》待《たい》していた。しかし、どうやら今作《こんさく》の出来《でき》は、まったくの期待外《きたいはず》れだったようだ。

「そぉ？　わたしはそれなりに楽《たの》しめたけど…」

蘭《らん》が、やんわりと映画《えいが》をフォローする。

「それなりじゃダメなの!!」

なおも不満《ふまん》げな園子《そのこ》に、コナンは、

(ま、続編《ぞくへん》なんてあんなモンだよ…)

と、あきれまじりの視線《しせん》を投《な》げかけた。

園子《そのこ》は両手《りょうて》を広《ひろ》げると、「あ〜〜〜〜」とため息《いき》をついた。

「どこかで起《お》こってくれないかな〜〜〜〜〜心臓《しんぞう》の鼓動《こどう》で回《まわ》りの音《おと》が消《き》えてしまうような、華《か》麗《れい》で大胆《だいたん》なとびっきりの大事件《だいじけん》が!!」

「……」

華麗《かれい》で大胆《だいたん》——そんな園子《そのこ》の言葉《ことば》から、コナンは無意識《むいしき》に、怪盗《かいとう》キッドのことを連想《れんそう》していた。

怪盗《かいとう》キッドは、世界《せかい》を股《また》にかけて美術品《びじゅつひん》や宝石《ほうせき》を狙《ねら》う大泥棒《おおどろぼう》。犯罪者《はんざいしゃ》でありながら、その鮮《あざ》やかな手口《てぐち》には多《おお》くのファンがいて、人々《ひとびと》を魅了《みりょう》している。特《とく》に若《わか》い女性《じょせい》からは絶大《ぜつだい》な人気《にんき》を博《はく》していた。

彼《かれ》を称《しょう》する形容詞《けいようし》は数多《かずおお》い。「平成《へいせい》のルパン」「月下《げっか》の奇術師《きじゅつし》」——そして、かつては

「怪盗《かいとう》1412号《ごう》」とも呼《よ》ばれていた。各国《かっこく》の警察《けいさつ》が極秘《ごくひ》に彼《かれ》につけた国際犯罪者番号《シークレットナンバー》が1412であったことからついた名前《なまえ》だ。

その通《とお》り名《な》が「怪盗《かいとう》キッド」へと変《か》わったのは、ある若手小説家《わかてしょうせつか》が、1412の番号《ナンバー》を洒落《しゃれ》てK《ケー》・I《アイ》・D《ディー》と呼《よ》んだのがきっかけだった。走《はし》り書《が》きした1412の数字《すうじ》が、KID《ケーアイディー》と読《よ》めたのだ。KID《ケーアイディー》、すなわち――キッド。

（そーいや、最近《さいきん》みかけねーな……あの野郎《やろう》……）

コナンは都会《とかい》の夜空《よぞら》に浮《う》かんだ月《つき》をちらりと見上《みあ》げた。キッドはいつも、夜《よる》の闇《やみ》に紛《まぎ》れて姿《すがた》を現《あらわ》す。そして彼《かれ》は、コナンにとって数少《かずすく》ない好敵手《ライバル》の一人《ひとり》なのだ。

その時《とき》、黒《くろ》いキャップを目深《まぶか》にかぶった男《おとこ》が、園子《そのこ》にドンとぶつかった。

「きゃっ！」

驚《おどろ》いた園子《そのこ》が悲鳴《ひめい》をあげる。男《おとこ》は、園子《そのこ》が腕《うで》にさげていたカバンを無理《むり》やり奪《うば》い取《と》ると、小脇《こわき》に抱《かか》えて走《はし》り去《さ》ろうとした。

「ひ、ひったくり!?」

「コ、コラ!!　待《ま》ちなさい!!」

蘭《らん》とコナンが、すぐに反応《はんのう》して、男《おとこ》のあとを追《お》いかけた。

「ちょっとちょっと〰〰……。これがわたしの待《ま》ちこがれてた大事件《だいじけん》なの〰〰？」

園子《そのこ》も駆《か》け出《だ》すが、ブーツなので走《はし》りづらそうだ。

その時《とき》、後方《こうほう》から、派手《はで》なエンジン音《おん》が迫《せま》ってきた。

「え？」

エンジン音《おん》の正体《しょうたい》は、体格《たいかく》のいい老人《ろうじん》が運転《うんてん》する大型《おおがた》オートバイだった。サイドカーには、茶色《ちゃいろ》い毛《け》並《な》みをした大型犬《おおがたけん》が乗《の》っている。老人《ろうじん》も大型犬《おおがたけん》も、ゴーグルつきのヘルメットを装着《そうちゃく》していた。

オートバイは園子《そのこ》を追《お》い越《こ》して、ひったくりの隣《となり》に並《なら》んだ。

「行《ゆ》け!!　ルパン!!!」

ハンドルを握《にぎ》る老人《ろうじん》が、するどく叫《さけ》ぶ。

すると、ルパンと呼《よ》ばれた大型犬《おおがたけん》が、サイドカーから勢《いきお》いよく飛《と》び出《だ》した。不意《ふい》を突《つ》かれたひったくりが、地面《じめん》にうつぶせに倒《たお》れ込《こ》む。ルパンは、ガウガウと吠《ほ》えながらひったくりの上《うえ》に飛《と》び乗《の》り、上着《うわぎ》のえりぐりにかみついてぐいぐい引《ひ》っ張《ぱ》った。

「いててて…」

「フン!!　か弱《よわ》き女子《おなご》の鞄《かばん》に手《て》を掛《か》けるとは不届《ふとど》きな奴《やつ》め!!　儂《わし》の自伝《じでん》の片隅《かたすみ》にでも載《の》せ

てくれようぞ…」

老人《ろうじん》はたちまち、ひったくりを後《うし》ろ手《で》に縛《しば》り上《あ》げると、駆《か》け寄《よ》ってきた蘭《らん》たちの方《ほう》を振《ふ》り返《かえ》った。

「ホレ、お嬢《じょう》さん、早《はや》く警察《けいさつ》に…」

「あ、はい！　ありがとうございます!!」

老人《ろうじん》にお礼《れい》を言《い》うと、蘭《らん》はしゃがみこんで「ワンちゃんもありがと！」とルパンにも笑《え》顔《がお》を向《む》けた。

アン！　と、ルパンが元気《げんき》よく吠《ほ》えて返事《へんじ》をする。

「いやなーに…たとえこのルパンが振《ふ》り切《き》られても…1500cc《シーシー》ツインカムエンジン搭載《とうさい》の儂《わし》のハーレーからは逃《に》げおおせられはせんよ…」

そう言《い》うと、老人《ろうじん》は、両目《りょうめ》をおおっていたゴーグルを額《ひたい》に押《お》し上《あ》げた。かがみこみ、コナンの頭《あたま》にポンと手《て》を乗《の》せると、

「いざとなったらスピードアップの細工《さいく》も施《ほどこ》してあるしのォ…」

意味深《いみしん》なことを言《い》い、アッアッアッアッ!!　と、独特《どくとく》な高笑《たかわら》いをあげる。

いったい、この老人《ろうじん》は何者《なにもの》なのだろう？　ひったくりを即座《そくざ》に捕《つか》まえた手際《てぎわ》のよさから

見《み》て、ただ者《もの》ではないことは明《あき》らかだ。

その時《とき》、ようやく追《お》いついてきた園子《そのこ》が、老人《ろうじん》の高笑《たかわら》いを聞《き》いて「おじ様《さま》…？」とつぶやいた。

「次郎吉《じろきち》おじ様《さま》じゃない？」

「おお！」

老人《ろうじん》は、園子《そのこ》の顔《かお》を見《み》るなり、ぱっと顔《かお》を輝《かがや》かせた。

「史郎《しろう》んトコの娘《むすめ》っ子《こ》かー!!　七五三《しちごさん》の時《とき》以来《いらい》じゃのォ!!」

どうやらこの老人《ろうじん》は、園子《そのこ》の親戚《しんせき》のようだ。

園子《そのこ》は、老人《ろうじん》を、蘭《らん》とコナンに紹介《しょうかい》した。

「この人《ひと》はわたしのパパのイトコで、鈴木財閥相談役《すずきざいばつそうだんやく》の鈴木次郎吉《すずきじろきち》おじ様《さま》よ！」

「は、初《はじ》めまして！」

蘭《らん》はあわてて頭《あたま》を下《さ》げた。鈴木財閥《すずきざいばつ》の相談役《そうだんやく》といえば、経済界《けいざいかい》の超大物《ちょうおおもの》だ。

「まぁ相談役《そうだんやく》といっても、経営《けいえい》の方《ほう》は全《すべ》て史郎《しろう》に任《まか》せて儂《わし》は遊《あそ》びほうけておるがのォ!!」

「でも、おじ様《さま》、いつ日本《こっち》に？　半年前《はんとしまえ》から旅行《りょこう》に出《で》てるって聞《き》いてたけど…」

園子《そのこ》が不思議《ふしぎ》そうに聞《き》くと、次郎吉《じろきち》は、よくぞ聞《き》いてくれたとばかり、うれしそうに語《かた》り出《だ》した。

「つい先週《せんしゅう》じゃ。世界中《せかいじゅう》を巡《めぐ》り巡《めぐ》って、ようやっとみつけたから舞《ま》い戻《もど》って来《き》たんじゃよ。

…最高《さいこう》の餌《えさ》をな…」

「エサ？」

園子《そのこ》と蘭《らん》、そしてコナンは、そろって首《くび》をかしげた。


コナンたちは、次郎吉《じろきち》に連《つ》れられて、次郎吉《じろきち》の住《す》む邸宅《ていたく》へとやってきた。さすが鈴木財《すずきざい》閥《ばつ》の相談役《そうだんやく》だけあって、園子《そのこ》の家《いえ》に勝《まさ》るとも劣《おと》らない大豪邸《だいごうてい》だ。

大《おお》きなシャンデリアが見下《みお》ろすコレクションルームには、次郎吉《じろきち》がこれまでに出場《しゅつじょう》した競技《きょうぎ》やコンテストの優勝記念品《ゆうしょうきねんひん》が展示《てんじ》されていた。

「うわ――――っ！　メダルやトロフィーでいっぱい!!」

ガラス張《ば》りの展示室《てんじしつ》に並《なら》んだ品々《しなじな》を見《み》て、蘭《らん》は思《おも》わず歓声《かんせい》をあげた。

「ゴルフのヨーロッパOP《オープン》……ヨットのUSA《ユーエスエー》カップに、世界《せかい》ハンバーガー早食《はやぐ》い選手《せんしゅ》権《けん》！　みんな優勝《ゆうしょう》ばっかり!!」

（スゲ…このジイさん、サバンナラリーにも勝《か》ってるよ）

次郎吉《じろきち》の輝《かがや》かしいタイトルの数々《かずかず》に、さすがのコナンも圧倒《あっとう》され気味《ぎみ》だ。

「でも同《おな》じ種類《しゅるい》のはないんだよね」

「頂点《ちょうてん》を極《きわ》めたら冷《さ》めてしまってのォ…」

園子《そのこ》のつぶやきに、次郎吉《じろきち》が苦笑《にがわら》いで答《こた》えた。

「すごいすごい！　最年長《さいねんちょう》エベレスト登頂《とうちょう》に、フリーダイビング新記録《しんきろく》！　人力飛行機《じんりきひこうき》世界一周《せかいいっしゅう》なんてのもあるよー!!」

（金持《かねも》ちの道楽《どうらく》だな…）

蘭《らん》はむじゃきにはしゃいでいるが、コナンは少《すこ》しあきれていた。登山《とざん》にフリーダイビングに人力飛行機《じんりきひこうき》とは、なんでもかんでも手《て》を出《だ》しすぎだ。

「ん？　あんな像《ぞう》、前《まえ》からあったっけ？」

園子《そのこ》が、壁際《かべぎわ》に置《お》かれた金色《きんいろ》の女神像《めがみぞう》に目《め》を留《と》めて言《い》った。

「ああ、あれは…その昔《むかし》、海賊共《かいぞくども》が暴《あば》れ回《まわ》った大航海時代《だいこうかいじだい》に、何度襲《なんどおそ》われても屈《くっ》しなかった不沈船《ふちんせん》、シーゴッデス号《ごう》が船首《せんしゅ》に飾《かざ》り付《つ》けていたという黄金《おうごん》の女神像《めがみぞう》じゃ！」

次郎吉《じろきち》が、得意《とくい》げな顔《かお》になる。女神像《めがみぞう》は、数百年前《すうひゃくねんまえ》のものとは思《おも》えないほど保存状態《ほぞんじょうたい》がよく、しかも今《いま》にも動《うご》き出《だ》しそうなほどリアルだった。右手《みぎて》に、大《おお》きな青《あお》い宝石《ほうせき》を持《も》っている。

「右手《みぎて》に掲《かか》げているのは人魚《にんぎょ》の涙《なみだ》が宝石《ほうせき》に変化《へんげ》し、海難《かいなん》を防《ふせ》ぐ力《ちから》を秘《ひ》めると伝《つた》わる伝説《でんせつ》のアクアマリン…その名《な》も『大海の奇跡《ブルー・ワンダー》』!! 本当《ほんとう》は、この像《ぞう》を取《と》り囲《かこ》むように鉄製《てっせい》の人魚《にんぎょ》達《たち》が取《と》りつけられていたらしいが、長《なが》い年月《ねんげつ》で錆《さ》びて朽《く》ち果《は》ててしまってのォ。このビッグジュエルを抱《かか》えた純金《じゅんきん》の女神像《めがみぞう》だけが残《のこ》ったそうじゃよ…」

「へー…」

園子《そのこ》と蘭《らん》が、アクアマリンをしげしげと見《み》つめる。

しかしコナンは、宝石《ほうせき》そのものよりも、次郎吉《じろきち》が口《くち》にした言葉《ことば》の方《ほう》に引《ひ》っかかりを覚《おぼ》えていた。

(ビッグジュエル…だと?)

脳裏《のうり》に浮《う》かぶのは、もちろん、あの神出鬼没《しんしゅつきぼつ》の怪盗《かいとう》のことだ。

「これは美術的価値《びじゅつてきかち》も高くて競《せ》り落《お》とすのに随分骨《ずいぶんほね》が折《お》れ、先週《せんしゅう》やっと儂《わし》の元《もと》へ…」

「じゃあ、まさか、さっきおじ様《さま》が言《い》ってたエサって…」

「その通《とお》り、これは餌《えさ》じゃ…彼奴《きゃつ》を釣《つ》るためのな!」

次郎吉《じろきち》は、不敵《ふてき》な笑《え》みを浮《う》かべて女神像《めがみぞう》を見《み》つめた。

「キャツって？」

園子《そのこ》が聞《き》くと、次郎吉《じろきち》の表情《ひょうじょう》がわずかに苦々《にがにが》しげになった。しかし、平静《へいせい》をよそおい、目《め》を閉《と》じて語《かた》り始《はじ》める。

「この世《よ》に生《せい》を受《う》けて七十二年《ななじゅうにねん》、この次郎吉《じろきち》…狙《ねら》った獲物《えもの》を逃《のが》したことはなかった。そう…望《のぞ》んだ賞《しょう》は全《すべ》て手《て》に入《い》れ、願《ねが》った夢《ゆめ》は皆叶《みなかな》えて来《き》たが…あったんじゃよ。この世《よ》で唯一《ゆいいつ》掌握《しょうあく》できない者《もの》が。その者《もの》は、いかなる厳重《げんじゅう》な警備《けいび》も堅牢《けんろう》な金庫《きんこ》も魔法《まほう》のように突破《とっぱ》し、悠然《ゆうぜん》と夜空《よぞら》に翼《つばさ》を広《ひろ》げて消《き》え失《う》せる白《しろ》き罪人《つみびと》…」

「ちょ、ちょっと…それってまさか…」

一人《ひとり》の怪盗《かいとう》を思《おも》い浮《う》かべ、園子《そのこ》は声《こえ》を震《ふる》わせた。

次郎吉《じろきち》は人差《ひとさ》し指《ゆび》をたてると、もったいぶって続《つづ》けた。

「そう…彼奴《きゃつ》の名《な》は…」


怪盗《かいとう》キッドに告《つ》ぐ‼

翌日《よくじつ》の朝刊《ちょうかん》の広告欄《こうこくらん》には、見開《みひら》き二面《にめん》ぶち抜《ぬ》きでそんな文字《もじ》が躍《おど》った。次郎吉《じろきち》が、自費《じひ》で広告《こうこく》を出《だ》して、怪盗《かいとう》キッドへ挑戦状《ちょうせんじょう》をたたきつけたのだ。

毛利小五郎《もうりこごろう》は、いつものように事務所《じむしょ》の椅子《いす》にふんぞり返《かえ》って、広告《こうこく》の内容《ないよう》を読《よ》み上《あ》げた。

「『怪盗《かいとう》キッドに告《つ》ぐ……貴殿《きでん》が所望《しょもう》するビッグジュエル「大海の奇跡《ブルー・ワンダー》」を潮留《しおとめ》に在《ざい》する我《わ》が大博物館《だいはくぶつかん》の屋上《おくじょう》に設置《せっち》した…手中《しゅちゅう》に収《おさ》めたくば取《と》りに来《こ》られたし。鈴木財閥相談役《すずきざいばつそうだんやく》鈴《すず》木次郎吉《きじろきち》…』。かーーっ！　朝刊《ちょうかん》の見開《みひら》き使《つか》ってこんな挑戦状《ちょうせんじょう》を叩《たた》きつけるたぁ金持《かねも》ちはやる事《こと》が派手《はで》だねぇ…」

「でもちょっとワクワクしちゃうね…」

楽《たの》しげな蘭《らん》を見《み》て、小五郎《こごろう》は「バーカ！」とあきれた。

「来《く》るワケねーだろ？　大金持《おおがねも》ちが自分《じぶん》から自信満々《じしんまんまん》でこんな挑戦状《ちょうせんじょう》を突《つ》きつけてんだぞ!!　準備万端整《じゅんびばんたんとと》った罠《わな》の中《なか》に、誰《だれ》が好《す》きこのんで…」

（そうそう…）

いつもはヘッポコ推理《すいり》ばかりの小五郎《こごろう》だが、今回《こんかい》ばかりはコナンも小五郎《こごろう》と同意見《どういけん》だ。

「でも、園子《そのこ》言《い》ってたよ…ついさっき、次郎吉《じろきち》おじさんの所《ところ》にキッドからOK《オーケー》の返事《へんじ》がメールで届《とど》いたって…」

「え？」

小五郎《こごろう》とコナンの声《こえ》が重《かさ》なる。

「なんか今度《こんど》の土曜日《どようび》に下見《したみ》に来《く》るみたいよ…ホラ、これがそのメール！　さっきわたしの携帯《けいたい》にも転送《てんそう》してもらったんだ！」

そう言《い》うと、蘭《らん》はポケットから携帯電話《けいたいでんわ》を出《だ》して、小五郎《こごろう》に渡《わた》した。

小五郎《こごろう》が、とまどいながら、携帯《けいたい》メールの内容《ないよう》を読《よ》み上《あ》げる。

『貴方《あなた》の提案《ていあん》快《こころよ》く承《うけたまわ》ります…決行《けっこう》は十月十二日《じゅうがつじゅうににち》二十時《にじゅうじ》。その前夜《ぜんや》に下見《したみ》する無礼《ぶれい》をお許《ゆる》し下《くだ》さい…怪盗《かいとう》キッド…』

メールの末尾《まつび》には、怪盗《かいとう》キッドがトレードマークにしている自画像《じがぞう》が表示《ひょうじ》されていた。

「相変《あいか》わらずキザな野郎《やろう》だな…」

小五郎《こごろう》がボヤく。

「ねえ、その後《あと》にPS《ピーエス》ってついてるけど…」

「追伸《ついしん》？」

コナンに指摘《してき》され、小五郎《こごろう》はメール画面《がめん》を下《した》へスクロールした。続《つづ》きのメッセージが表《ひょう》示《じ》される。

P《ピー》・S《エス》・

Blue Wonder《ブルー ワンダー》の名《な》の如《ごと》く歩《ある》いて頂《いただ》きに参上《さんじょう》しよう…。

「あ、歩《ある》いてだとォ!?」

小五郎《こごろう》の声《こえ》がひっくり返《かえ》る。

コナンは身構《みがま》えて、キッドからのメールにもう一度目《いちどめ》を走《はし》らせた。

「大海の奇跡《ブルー・ワンダー》」の英語《えいご》の綴《つづ》りは「blue wonder」。そして、「wonder《ワンダー》」に発音《はつおん》が似《に》ている「wander《ワンダー》」という英単語《えいたんご》には、「歩《ある》く」という意味《いみ》がある。メールの文末《ぶんまつ》にある「ブルー・ワンダー《Blue Wonder》の名《な》の如《ごと》く歩《ある》いて」盗《と》りにくるという一文《いちぶん》は、「wonder《ワンダー》」を「wander《ワンダー》」にかけたものだろう。

屋上《おくじょう》に設置《せっち》された「大海の奇跡《ブルー・ワンダー》」を、歩《ある》いて盗《と》りに来《く》るとは――いったい、どういうことなのだろうか？

十月十一日《じゅうがつじゅういちにち》。

潮留《しおとめ》の鈴木大博物館前《すずきだいはくぶつかんまえ》には、多《おお》くの人《ひと》が集《あつ》まっていた。次郎吉《じろきち》がキッドからの予告状《よこくじょう》を公開《こうかい》したため、日本中《にほんじゅう》からキッドファンが集《あつ》まってしまったのだ。

キッドの登場《とうじょう》を待《ま》つ人々《ひとびと》の中《なか》には、小五郎《こごろう》と蘭《らん》、そしてコナンの姿《すがた》もある。

鈴木大博物館《すずきだいはくぶつかん》は、ヨーロッパ風《ふう》のどっしりとした造《つく》りで、ドーム状《じょう》になった屋根裏部屋《やねうらべや》が最上階《さいじょうかい》にあたる。屋根裏部屋《やねうらべや》には大《おお》きな出窓《でまど》がひとつあり、出窓《でまど》の上《うえ》の外壁《がいへき》には、まるで水泳《すいえい》の飛《と》び込《こ》み競技《きょうぎ》の台《だい》のように、長《なが》い板《いた》が突《つ》き出《だ》していた。そして、その板《いた》の先《さき》には、「大海の奇跡《ブルー・ワンダー》」が堂々《どうどう》と置《お》かれている。

空《そら》からやってくることが多《おお》いキッドを警戒《けいかい》して、博物館《はくぶつかん》の上空《じょうくう》には、三機《さんき》のヘリコプターが飛《と》んでいた。地上《ちじょう》にも、大規模《だいきぼ》な警備《けいび》が敷《し》かれている。武装《ぶそう》した警官《けいかん》が博物館《はくぶつかん》の周囲《しゅうい》をかため、屋敷《やしき》に近《ちか》づく人《ひと》は例外《れいがい》なく検問《けんもん》を受《う》けていた。

「チェックだ、チェック!! この博物館《はくぶつかん》に通《つう》じる全《すべ》ての道《みち》に検問《けんもん》を敷《し》いて不審《ふしん》な輩《やから》を一人《ひとり》たりとも通《とお》すな!!」

無線《むせん》に向《む》かってがなりたてているのは、警視庁刑事部《けいしちょうけいじぶ》の中森銀三警部《なかもりぎんぞうけいぶ》。中森警部《なかもりけいぶ》は、過《か》去《こ》に何度《なんど》も怪盗《かいとう》キッドを追《お》っているベテランだ。しかし、いつもまんまと逃《に》げられてしまい、いまだ逮捕《たいほ》には至《いた》っていない。

逮捕《たいほ》を阻《はば》む大《おお》きな要因《よういん》のひとつが、キッドの変装術《へんそうじゅつ》だ。怪盗《かいとう》キッドは、性別《せいべつ》や身長《しんちょう》に関《かん》係《けい》なく、どんな人間《にんげん》にも変装《へんそう》することができ、しかも声色《こわいろ》さえ自由《じゆう》に使《つか》い分《わ》けてしまう。

「……なに!? キッドかどうかの見分《みわ》け方《かた》がわからんだと? 引《ひ》っ張《ぱ》りゃいいんだよ顔《かお》を!!! どーせ奴《やつ》は変装《へんそう》してんだから!! 『ギュ』じゃなく『ギュー』だぞ!!」

「気合《きあ》い入《はい》ってんなァ中森警部《なかもりけいぶ》…」

無線《むせん》に向《む》かってどなる中森警部《なかもりけいぶ》の姿《すがた》に、小五郎《こごろう》は気《け》おされてつぶやいた。

その時《とき》、次郎吉《じろきち》が、昨日《きのう》と同《おな》じバイクに乗《の》ってやってきた。しっかりとヘルメットをかぶり、いつものゴーグルを装着《そうちゃく》している。サイドカーには園子《そのこ》の姿《すがた》があった。

「蘭《ら》ーん! キッド来《き》た?」

「ううん、まだ…」

園子《そのこ》はサイドカーから降《お》りると、小五郎《こごろう》を次郎吉《じろきち》に紹介《しょうかい》した。

「このチョビヒゲのおじさんが蘭《らん》のパパの眠《ねむ》りの小五郎《こごろう》さんよ! 次郎吉《じろきち》おじ様《さま》!」

小五郎《こごろう》は、チョビヒゲのおじさん呼《よ》ばわりが気《き》に障《さわ》ったようで、「チョビ…」と心外《しんがい》そうに眉《まゆ》を寄《よ》せた。

「おお…お噂《うわさ》はかねがね…」

ゆっくりと小五郎《こごろう》に歩《あゆ》み寄《よ》ろうとした次郎吉《じろきち》の前《まえ》に、中森警部《なかもりけいぶ》が立《た》ちはだかった。

「あんたか⁉ こんな騒《さわ》ぎを巻《ま》き起《お》こした張本人《ちょうほんにん》は⁉ あんたんトコのあのヘリ達《たち》を何《なん》とかしろ！ 邪魔《じゃま》で警察《けいさつ》のヘリが飛《と》べないだろーが‼」

どうやら上空《じょうくう》のヘリコプターは、警察《けいさつ》のものではなく、次郎吉《じろきち》が独自《どくじ》に用意《ようい》したもののようだ。そのせいで、警察《けいさつ》のヘリコプターが飛《と》ばせなくなってしまったので、中森警部《なかもりけいぶ》が怒《おこ》っているのだ。

「警察《けいさつ》のヘリなんぞいらんじゃろ？」

次郎吉《じろきち》は、悪《わる》びれずに答《こた》えた。

「キッドは歩《ある》いて来《く》ると予告《よこく》しておるんじゃから！」

「じゃあ、何《なん》であんたは飛《と》ばしてんだ⁉」

中森警部《なかもりけいぶ》が反論《はんろん》すると、次郎吉《じろきち》は「あれは儂《わし》の自伝映画用《じでんえいがよう》の撮影《さつえい》ヘリじゃよ！」と胸《むね》を張《は》って答《こた》えた。

「じ、自伝映画《じでんえいが》？」

「なんなら観《み》てみるか？」

次郎吉《じろきち》は背後《はいご》に停《と》まったワゴン車《しゃ》の方《ほう》を振《ふ》り返《かえ》ると、得意《とくい》げに続《つづ》けた。

「あそこのワゴンの中《なか》で全《すべ》ての映像《えいぞう》がチェックできるぞ！」


博物館《はくぶつかん》の周辺《しゅうへん》の映像《えいぞう》が全《すべ》てチェックできるのなら、キッドがどこからやってくるか突《つ》き止《と》める手掛《てが》かりになるかもしれない。そう考《かんが》えた中森警部《なかもりけいぶ》は、次郎吉《じろきち》の提案《ていあん》にのって、ワゴン車《しゃ》の中《なか》を見《み》せてもらうことにした。せっかくなので、コナンたちも見学《けんがく》することにした。

車内《しゃない》には、モニターがずらりと並《なら》んでいた。ヘリコプターから撮影《さつえい》された映像《えいぞう》を受信《じゅしん》して、リアルタイムで映《うつ》しているようだ。

「すごーい！」

「まるでＴＶ《テレビ》局《きょく》の中継車《ちゅうけいしゃ》だな…」

本格的《ほんかくてき》な設備《せつび》のそろった車内《しゃない》に、蘭《らん》と小五郎《こごろう》はすっかり感心《かんしん》していた。

「ヘリからの映像《えいぞう》だけじゃない！　博物館内《はくぶつかんない》の百《ひゃっ》か所《しょ》に備《そな》え付《つ》けたカメラの映像《えいぞう》もここで

全《すべ》て把握《はあく》できるのじゃ！」

「おいおい、館内《かんない》には誰《だれ》もいないじゃないか⁉」

モニターをのぞきこんだ中森警部《なかもりけいぶ》が、ぎょっとして叫《さけ》んだ。博物館内部《はくぶつかんないぶ》の映像《えいぞう》は、殺風景《さっぷうけい》な廊下《ろうか》が続《つづ》くばかりで、一人《ひとり》の人員《じんいん》も配置《はいち》されていなかったのだ。

「今《いま》までがおり過《す》ぎたんじゃよ！　これなら彼奴《きゃっ》が誰《だれ》かに変装《へんそう》して侵入《しんにゅう》したとしても一目瞭然《いちもくりょうぜん》じゃろ？　博物館《はくぶつかん》の全《すべ》ての扉《とびら》の開《あ》け閉《し》めはここから操作可能《そうさかのう》じゃから、女神像《めがみぞう》のある最上階《さいじょうかい》に彼奴《きゃっ》がたどり着《つ》いても閉《と》じ込《こ》められるのが関《せき》の山《やま》じゃ…。まぁ、彼奴《きゃっ》が予告通《よこくどお》りに来《く》ればの話《はなし》じゃがな‼」

「あ、来《き》たみたいだよ…」

コナンが、いち早《はや》く気《き》づいて指摘《してき》する。

「え？」

モニターに視線《しせん》を向《む》けた園子《そのこ》は、ぱっと顔《かお》を輝《かがや》かせた。

「か、怪盗《かいとう》キッド‼！」

モニターには、満月《まんげつ》を背《せ》にハンググライダーで飛《と》ぶ怪盗《かいとう》キッドの姿《すがた》が映《うつ》し出《だ》されていた。

月明《つきあ》かりが逆光《ぎゃっこう》になって顔《かお》はよく見《み》えないが、白《しろ》いシルクハットに白《しろ》いスーツというい でたちは、キッド以外《いがい》にありえない。

怪盗《かいとう》キッドが、予告通《よこくどお》りに姿《すがた》を現《あらわ》したのだ。

「おい、どれだ!? この映像《えいぞう》、どのヘリから撮《と》ってんだ!?」

キッドが来《き》たとわかるやいなや、中森警部《なかもりけいぶ》は血相《けっそう》を変《か》えて、車内《しゃない》のスタッフにつかみかかった。

「な、7番機《ばんき》です!! 場所《ばしょ》は博物館《はくぶつかん》の裏手《うらて》かと…」

「裏《うら》だとォ!?」

中森警部《なかもりけいぶ》は、キッドを直接確認《ちょくせつかくにん》するため、博物館《はくぶつかん》の裏手《うらて》に向《む》かった。

「あ、コナン君《くん》!?」

蘭《らん》が止《と》めるのも聞《き》かず、コナンも中森警部《なかもりけいぶ》のあとに続《つづ》いてワゴン車《しゃ》を降《お》りた。

スタッフが、おろおろと、次郎吉《じろきち》に声《こえ》をかける。

「相談役《そうだんやく》! どうします? 念《ねん》のため、例《れい》の仕掛《しか》けを作動《さどう》させて女神像《めがみぞう》を中《なか》へ…」

「ええいうろたえるな!! 今夜《こんや》はただの下見《したみ》、盗《と》られやせん!!」

次郎吉《じろきち》はスタッフを一喝《いっかつ》すると、モニターごしにキッドをにらみつけ、ニヤリとほくそ笑《え》んだ。

「それに彼奴《きゃつ》は歩《ある》いて来《く》ると予告《よこく》した…拝見《はいけん》しようじゃないか、月下《げっか》の奇術師《きじゅつし》と謳《うた》われた大泥棒《おおどろぼう》の出方《でかた》を…」

車外《しゃがい》に出《で》た中森警部《なかもりけいぶ》とコナンは、集《あつ》まったキッドファンに行《ゆ》く手《て》を阻《はば》まれて、なかなか前《まえ》へ進《すす》めずにいた。

「コラ、どけ!!　どかんかー!!」

中森警部《なかもりけいぶ》は、人混《ひとご》みをかきわけて、警備《けいび》の部下《ぶか》に向《む》かって声《こえ》を張《は》り上《あ》げた。

「おい！　奴《やつ》はどこだ!?」

「そ、それが、ビルの間《あいだ》を横切《よこぎ》った後《あと》、出《で》て来《こ》なくて…」

すぐに姿《すがた》を見《み》せないということは、何《なに》かを仕掛《しか》けているのだろう。コナンは緊張《きんちょう》して、キッドを待《ま》ち構《かま》えた。

(さあ出《で》て来《こ》いよ怪盗《かいとう》キッド!!　地上《ちじょう》に降《お》りなきゃ歩《ある》けねぇぜ!!)

ポン！

上空《じょうくう》で乾《かわ》いた音《おと》がした。

（え？）

驚《おどろ》いて空《そら》へと視線《しせん》を上《あ》げ、コナンは「なに!?」と目《め》を見開《みひら》いた。

ビルとビルの間《あいだ》に、怪盗《かいとう》キッドが浮《う》いていたのだ。ポケットに軽《かる》く手《て》を入《い》れ、人々《ひとびと》を見《み》下《お》ろしている。

満月《まんげつ》を背《せ》にして宙《ちゅう》に立《た》つその姿《すがた》は、恐《おそ》ろしいほど絵《え》になった。片眼鏡《モノクル》と逆光《ぎゃっこう》で顔《かお》ははっきりしないが、それでも端正《たんせい》な容姿《ようし》であることは疑《うたが》いようがない。口元《くちもと》に浮《う》かぶ微笑《びしょう》は、紳士然《しんしぜん》として気品《きひん》に満《み》ちていたが、同時《どうじ》に、どこか少年《しょうねん》のようなあどけなさを残《のこ》しているようにも思《おも》われた。

底知《そこし》れぬ不敵《ふてき》さと、少年《しょうねん》のような屈託《くったく》のない無邪気《むじゃき》さを同時《どうじ》にまとい――怪盗《かいとう》キッドは、純白《じゅんぱく》のマントを闇夜《やみよ》にはためかせていた。

十月十一日二十時《じゅうがつじゅういちにちにじゅうじ》――怪盗《かいとう》キッドは、約束通《やくそくどお》りの時間《じかん》に姿《すがた》を現《あらわ》した。予告状《よこくじょう》に書《か》かれていた言葉《ことば》を信《しん》じるならば、今日《きょう》は『下見《したみ》』ということになる。
「う、浮《う》いてる…」

地上《ちじょう》の人々《ひとびと》の視線《しせん》は、怪盗《かいとう》キッドにくぎづけになった。

「キッド、浮《う》いてるよ!!」

「うそー!!」

誰《だれ》もが自分《じぶん》の目《め》を疑《うたが》ったが、怪盗《かいとう》キッドは確《たし》かに、浮《う》いていた。周囲《しゅうい》の高層《こうそう》ビルにも負《ま》けないくらいの高《たか》さから、地上《ちじょう》を見下《みお》ろしている。

「そ、そんなバカな!?」

何度《なんど》もキッドと渡《わた》り合《あ》ってきた中森警部《なかもりけいぶ》でさえ、今回《こんかい》の奇跡《ミラクル》には度肝《どぎも》を抜《ぬ》かれているようだった。

(生身《なまみ》の人間《にんげん》が重力《じゅうりょく》に逆《さか》らって…宙《ちゅう》に浮《う》けるわけがない!!)

コナンは、強《つよ》く自分《じぶん》に言《い》い聞《き》かせようとしたが、目《め》の前《まえ》の光景《こうけい》はまぎれもなく現実《げんじつ》だった。

「だまされるな!! これはまやかしじゃ!!!」

車内《しゃない》の次郎吉《じろきち》が、無線機《むせんき》を通《とお》して叫《さけ》んだ。

「キッドは黒《くろ》いアドバルーンか何《なに》かで上空《じょうくう》からワイヤーで体《からだ》を吊《つ》ってるだけに過《す》ぎん!!

上《うえ》じゃ!! 近《ちか》くのヘリは彼奴《きゃつ》の頭《あたま》を取《と》って確認《かくにん》せィ!!!」

「——7番機《ばんき》、了解《りょうかい》しました！　これより怪盗《かいとう》キッドの頭上《ずじょう》へ移動《いどう》します！」

次郎吉《じろきち》の指示《しじ》を受《う》け、ヘリコプターがキッドの真上《まうえ》へと移動《いどう》していく。

その様子《ようす》を見《み》た園子《そのこ》が、不安《ふあん》そうに次郎吉《じろきち》の方《ほう》を振《ふ》り返《かえ》った。

「ちょっとおじ様《さま》!!　本当《ほんとう》にそうなら、ワイヤーがヘリのプロペラにからまって大変《たいへん》な事《こと》になっちゃうんじゃない!?」

「フン…彼奴《きゃっ》とてそのぐらいの事《こと》は想定《そうてい》しておるよ。どーせヘリが近《ちか》づいたらワイヤーを切《き》って飛《と》ぶ気《き》じゃろう…得意《とくい》の白《しろ》いハンググライダーで……」

言《い》いかけた次郎吉《じろきち》は、「な!?」と目《め》を見張《みは》った。

ヘリコプターがキッドの真上《まうえ》に来《き》て、スポットライトのようにキッドに光《ひかり》をあてる。

だが、キッドは宙《ちゅう》に立《た》ったままだったのだ。

「——こ、こちら7番機《ばんき》!!　キッドの頭上《ずじょう》には何《なに》も…」

「な、何《なん》じゃと!?」

ワゴン車内《しゃない》のモニターには、7番機《ばんき》のヘリからの映像《えいぞう》が映《うつ》し出《だ》されている。ヘリは確《たし》かにキッドの真上《まうえ》にいるようだが、ワイヤーの類《たぐい》は映《うつ》っていなかった。

「上《うえ》じゃないって事《こと》は…」

ヘリが来《き》ても浮《う》いたままのキッドを見《み》て、中森警部《なかもりけいぶ》がつぶやく。

(横《よこ》!? そうか! ビルの間《あいだ》にワイヤーを通《とお》して体《からだ》を吊《つ》ってるんだな!!)

いち早《はや》く気《き》がついたコナンは、その場《ば》から駆《か》け出《だ》した。キッドの両側《りょうがわ》に建《た》つビルの屋上《おくじょう》に行《い》けば、ワイヤーの有無《うむ》を確《たし》かめることができる。

コナンに遅《おく》れて中森警部《なかもりけいぶ》もそのことに気《き》がつき、近《ちか》くにいた部下《ぶか》に指示《しじ》を飛《と》ばした。

「よーし。ワシは左《ひだり》のビル、お前《まえ》は右《みぎ》のビルの屋上《おくじょう》に行《い》ってワイヤーを見《み》つけ出《だ》せ!!」

「は、はい!!」

部下《ぶか》とコナンはキッドの右側《みぎがわ》に建《た》つビルへ、中森警部《なかもりけいぶ》は左側《ひだりがわ》のビルへと、それぞれ向《む》かった。

「キッドの野郎《やろう》!! ナメた真似《まね》しやがってエ〜〜〜!!」

中森警部《なかもりけいぶ》は階段《かいだん》を駆《か》け上《あ》がり、屋上《おくじょう》へと飛《と》び出《だ》した。ヘリコプターが近《ちか》くを飛《と》んでいるせいで、屋上《おくじょう》には強《つよ》い風《かぜ》が吹《ふ》いている。中森警部《なかもりけいぶ》は、腕《うで》で顔《かお》をかばいながら、ゆっくりとフェンスの方《ほう》へと歩《あゆ》み寄《よ》った。

「フン…所詮《しょせん》手品《てじな》は手品《てじな》。タネさえわかってしまえば…」

フェンスから身《み》を乗《の》り出《だ》して、宙《ちゅう》に立《た》つキッドの方《ほう》をのぞきこむ。しかし、そこに、ワイヤーらしきものは見当《みあ》たらなかった。

「な、ない!? ワイヤーなんてどこにもないじゃないか!?」

フェンスや壁《かべ》にも、不自然《ふしぜん》な点《てん》は見当《みあ》たらない。

コナンたちが向《む》かった反対側《はんたいがわ》のビルの屋上《おくじょう》も、同《おな》じ状況《じょうきょう》だった。

「中森警部《なかもりけいぶ》!! こっちのビルからも何《なに》も出《で》ていませんが……」

部下《ぶか》が、中森警部《なかもりけいぶ》に報告《ほうこく》する。

コナンは、屋上《おくじょう》のフェンスから身《み》を乗《の》り出《だ》し、目《め》を凝《こ》らしてキッドを見《み》つめた。

(バカな!? じゃあ奴《やつ》は一体《いったい》どうやって…どうやって宙《ちゅう》に…!?)

「オホン…」

キッドは、コナンたちがワイヤーの有無《うむ》を確認《かくにん》し終《お》わるのを待《ま》っていたかのようなタイミングで、軽《かる》く咳払《せきばら》いをした。それから、優雅《ゆうが》な動作《どうさ》で両腕《りょううで》を広《ひろ》げ、高《たか》らかに声《こえ》をあげる。

「Ladies《レディース》♡ and《アンド》… Gentlemen《ジェントルメーン》!!」

いよいよキッドのショーの始《はじ》まりだ。

集《あつ》まったキッドファンたちは、いっせいに歓声《かんせい》をあげた。

「さあ、今宵《こよい》の前夜祭《ぜんやさい》…我《わ》が肢体《したい》が繰《く》り出《だ》す奇跡《きせき》を…とくと御覧《ごらん》あれ…」

キッドは楽《たの》しげに宣言《せんげん》すると、再《ふたた》びポケットに手《て》を差《さ》し入《い》れ、ゆっくりと右足《みぎあし》を前《まえ》に出《だ》した。

コッ。

靴底《くつぞこ》が、見《み》えない床《ゆか》をたたく音《おと》がする。

「え？」

中森警部《なかもりけいぶ》は、いよいよ目《め》の前《まえ》の光景《こうけい》が、信《しん》じられなくなった。

キッドは、宙《ちゅう》に浮《う》いただけでなく、宙《ちゅう》を歩《ある》き始《はじ》めてしまったのだ。まるでそこに透明《とうめい》な通路《つうろ》があるかのように足音《あしおと》をたてながら、一歩《いっぽ》ずつ、前《まえ》に進《すす》んでいく。


キッドの様子《ようす》を、小五郎《こごろう》たちはワゴン車《しゃ》の中《なか》から見守《みまも》っていた。

「あ、歩《ある》いてる……空中《くうちゅう》を…」

「す、すごい!!」

園子《そのこ》と蘭《らん》が、目《め》を見張《みは》る。

「なるほど…歩《ある》いて盗《と》りに来《く》るとはこういう事《こと》か…」

と、小五郎《こごろう》も感心《かんしん》していた。

「そんな事《こと》より、教《おし》えてくれぬか毛利探偵《もうりたんてい》。天地《てんち》の定《さだ》めを蔑《ないがし》ろにするこの絡繰《からく》りを…」

次郎吉《じろきち》が呆然《ぼうぜん》とつぶやいた。

無線《むせん》には、ヘリコプターからの報告《ほうこく》がひっきりなしに入《はい》ってくる。

「こちら3番機《ばんき》!!　キッドは現在潮留公園上空《げんざいしおとめこうえんじょうくう》をほ、歩行中《ほこうちゅう》…このままですと1分《ぷん》足《た》らずで…鈴木大博物館屋上《すずきだいはくぶつかんおくじょう》に設置《せっち》された…『大海の奇跡《ブルー・ワンダー》』の元《もと》へ……」


「あの野郎《やろう》…」

中森警部《なかもりけいぶ》は、空中《くうちゅう》を歩《ある》くキッドをなすすべなく見上《みあ》げ、悔《くや》しげにうめいた。

キッドは着々《ちゃくちゃく》と、「大海の奇跡《ブルー・ワンダー》」のもとへ近《ちか》づいている。

ワゴン車《しゃ》のスタッフは、じれったそうに次郎吉《じろきち》に声《こえ》をかけた。

「相談役《そうだんやく》！　例《れい》の仕掛《しか》け、作動《さどう》させた方《ほう》がよろしいんでは!?」

しかし、次郎吉《じろきち》は目《め》を閉《と》じたまま、ためらうように押《お》し黙《だま》っている。

「相談役《そうだんやく》!!」

再度《さいど》呼《よ》びかけられ、次郎吉《じろきち》は「止《や》むを得《え》んな…」とつぶやいた。

それを聞《き》いたスタッフが、機材《きざい》を操作《そうさ》する。

すると、ガコッと音《おと》をたてて、次郎吉《じろきち》が用意《ようい》していた『仕掛《しか》け』が作動《さどう》した。


「大海の奇跡《ブルー・ワンダー》」の仕掛《しか》けが動《うご》いたことを確認《かくにん》して、怪盗《かいとう》キッドはニヤリと歯《は》を見《み》せて笑《わら》った。

それから、地上《ちじょう》にあふれかえった人々《ひとびと》へちらりと視線《しせん》を下《お》ろす。人混《ひとご》みの中《なか》に、かがみこんで靴《くつ》に手《て》をかけているコナンの姿《すがた》が見《み》えた。キック力増強《りょくぞうきょう》シューズとボール射出《しゃしゅつ》ベルトを使《つか》う機会《きかい》をうかがっているのだろう。得意《とくい》のサッカーボールを使《つか》ったシュートで、キッドを落《お》とすつもりなのだ。

抜《ぬ》け目《め》なく自分《じぶん》を狙《ねら》うコナンの姿《すがた》を確認《かくにん》すると、キッドはどこかうれしげに、シルクハットに片手《かたて》をかけた。

「さて、前夜祭《ぜんやさい》はここまで。明晩《みょうばん》二十時《にじゅうじ》、再《ふたた》び同《おな》じ場所《ばしょ》でお会《あ》いしましょう…」

ポン！

乾《かわ》いた音《おと》とともに、煙《けむり》が上《あ》がる。

そして、煙《けむり》が晴《は》れた時《とき》——怪盗《かいとう》キッドの姿《すがた》は、すっかり消《き》えてしまっていた。

「き、消《き》えた…」

「空中《くうちゅう》で…」

おののいてつぶやくキッドファンたちの頭上《ずじょう》に、キッドのシルクハットやマントがひらひらと落《お》ちてくる。

残《のこ》されたコナンは、さっきまでキッドがいたはずの空中《くうちゅう》を、無言《むごん》でにらんだ。

キッドの予告状《よこくじょう》に書《か》かれていた一文《いちぶん》が、脳裏《のうり》をよぎる。

『Blue Wonder《ブルー・ワンダー》の名《な》の如《ごと》く歩《ある》いて頂《いただ》きに参上《さんじょう》しよう…』

「blue《ブルー》」には「空《そら》」という意味《いみ》もある。「Blue Wander《ブルー・ワンダー》」の一文《いちぶん》のごとく、キッドはまさしく空《そら》を歩《ある》いて、「大海の奇跡《Blue Wonder》」の下見《したみ》へとやってきたのだった。


怪盗《かいとう》キッドは、予告状通《よこくじょうどお》り、堂々《どうどう》と人前《ひとまえ》に姿《すがた》をさらした。にもかかわらず、居合《いあ》わせた警備員《けいびいん》も警察官《けいさつかん》も、誰《だれ》ひとりキッドに手《て》を出《だ》すことができなかった。

中森警部《なかもりけいぶ》は苦《にが》い顔《かお》で、次郎吉《じろきち》に食《く》ってかかっていた。

「だから言《い》ったでしょ!? キッドを侮《あなど》ると痛《いた》い目《め》に遭《あ》うと!! 最初《さいしょ》から警察《けいさつ》のヘリを張《は》り込《こ》ませておけばこんな事《こと》には…」

「ならば汝《うぬ》には予測《よそく》できたのかのォ中森警部《なかもりけいぶ》…? 彼奴《きゃつ》が中天《ちゅうてん》を闊歩《かっぽ》して来《く》ると…」

「そ、それは…」

中森警部《なかもりけいぶ》が言葉《ことば》に詰《つ》まる。

次郎吉《じろきち》は、博物館《はくぶつかん》の廊下《ろうか》を進《すす》むと、最上階《さいじょうかい》へと続《つづ》く階段《かいだん》をのぼり始《はじ》めた。見《み》せたいものがあるからついてくるように言《い》われ、コナンたちも次郎吉《じろきち》のあとに続《つづ》く。

「それに今夜《こんや》は下見《したみ》、彼奴《きゃつ》が予告《よこく》したのは明日《あした》じゃ。彼奴《きゃつ》のやり口《くち》がわかっただけでも善《よ》しとすればよかろう。なーに、盗《と》られやせんよ…儂《わし》が世界中《せかいじゅう》を駆《か》け巡《めぐ》ってやっと手《て》に入《い》れた、あの『大海の奇跡《ブルー・ワンダー》』はな!!」

階段《かいだん》をのぼりきり、次郎吉《じろきち》は最上階《さいじょうかい》の部屋《へや》の扉《とびら》を開《あ》けた。

扉《とびら》の正面《しょうめん》には出窓《でまど》があり、出窓《でまど》の上《うえ》の壁《かべ》からは、一枚《いちまい》の板《いた》が手前《てまえ》に突《つ》き出《だ》していた。板《いた》の先《さき》には「大海の奇跡《ブルー・ワンダー》」の女神像《めがみぞう》がいるのだが、外《そと》から見《み》た時《とき》と違《ちが》って上下《じょうげ》が逆《さか》さまになっている。女神像《めがみぞう》は、板《いた》の下面《しためん》に、まるでコウモリのように逆《さか》さになってくっついているのだった。

「でも何《なん》で黄金像《おうごんぞう》が中《なか》に？　しかも逆《さか》さで…」

小五郎《こごろう》が不思議《ふしぎ》そうに聞《き》く。

「こういう仕掛《しか》けじゃよ…」

次郎吉《じろきち》は、手《て》の中《なか》のリモコンを操作《そうさ》した。

するとガコっと音《おと》がして、板《いた》がゆっくりと、円《えん》を描《えが》くようにして動《うご》き始《はじ》め、部屋《へや》の中《なか》にあった女神像《めがみぞう》が外《そと》へと出《で》ていった。そして、入《い》れ替《か》わりに、外《そと》にいた女神像《めがみぞう》が部屋《へや》の中《なか》に入《はい》ってくる。

つまり、女神像《めがみぞう》は、部屋《へや》の中《なか》と外《そと》に二体《にたい》あったのだ。そして、二体《にたい》の女神像《めがみぞう》は一枚《いちまい》の板《いた》でつながっていて、片方《かたほう》が外《そと》に出《で》ると、もう片方《かたほう》は部屋《へや》の中《なか》へと収納《しゅうのう》される仕組《しく》みになっているらしい。

「なるほど…回転《かいてん》して本物《ほんもの》と偽物《にせもの》がスリ替《か》わるようになっているんですな！」

小五郎《こごろう》が素直《すなお》に感心《かんしん》して言《い》う。

しかし、中森警部《なかもりけいぶ》はこの装置《そうち》が気《き》に食《く》わないようで、「フン…」とシラけたように鼻《はな》を鳴《な》らした。

「こんな小細工《こざいく》、キッドにすぐに見抜《みぬ》かれて…」

「もちろんこれで彼奴《きやつ》の目《め》を謀《たばか》れるとは思《おも》っとらんよ…」

中森警部《なかもりけいぶ》はジトッとした目《め》つきで次郎吉《じろきち》をにらんだ。

「だったら、明日《あした》は我々警察《われわれけいさつ》に全《すべ》て任《まか》せて、あんたんトコのヘリなんか飛《と》ばさずに大人《おとな》しく…」

「その逆《ぎゃく》じゃよ…」

「逆《ぎゃく》？」

中森警部《なかもりけいぶ》が、けげんそうな顔《かお》になる。

「彼奴《きやつ》は明晩《みょうばん》、同《おな》じ場所《ばしょ》で会《あ》おうとほざいて消《き》え失《う》せた。ならば待《ま》ち構《かま》えてくれようぞ…この周辺一帯《しゅうへんいったい》の建造物《けんぞうぶつ》を全《すべ》て借《か》り切《き》り、今夜《こんや》の何倍《なんばい》ものヘリと警備員《けいびいん》を張《は》り込《こ》ませてな!!」

次郎吉《じろきち》は、ぎゅっとこぶしを握《にぎ》りしめると、興奮《こうふん》して続《つづ》けた。

「どんな絡繰《からく》りで宙《ちゅう》を歩《ある》いたかはわからぬが、最初《さいしょ》から視線《しせん》が集中《しゅうちゅう》する場所《ばしょ》に現《あらわ》れることはできまい？　のこのこ出《で》て来《こ》ようものなら、引《ひ》っ捕《と》らえて儂《わし》の自伝《じでん》の最終章《さいしゅうしょう》に加《くわ》えてくれる…わ!?」

言葉《ことば》の途中《とちゅう》で、次郎吉《じろきち》が突然《とつぜん》、目《め》を見開《みひら》いた。「あ〰〰っ!!」と情《なさ》けない声《こえ》をあげ、あせったように足元《あしもと》をのぞきこむ。

「う、動《うご》くな!!　動《うご》くでない!!」

「ん？」

小五郎《こごろう》は、足元《あしもと》に妙《みょう》な感触《かんしょく》を感《かん》じて、視線《しせん》を落《お》とした。

次郎吉《じろきち》の愛犬《あいけん》、ルパンだ。ルパンが小五郎《こごろう》のズボンのすそを思《おも》いきり引《ひ》っぱると、小五郎《ろう》はその勢《いきお》いで「わっ」としりもちをついてしまった。

「な、何《なん》だこの犬《いぬ》!?」

「おお、そこにあったか!!」

次郎吉《じろきち》は、床《ゆか》の上《うえ》の何《なに》かを慎重《しんちょう》に拾《ひろ》い上《あ》げた。

「さすがルパンじゃ！　儂《わし》と同《おな》じく、狙《ねら》った獲物《えもの》を逃《のが》しはせん…」

次郎吉《じろきち》にほめられ、ルパンが得意《とくい》げな顔《かお》になる。

「コンタクト？」

次郎吉《じろきち》の手元《てもと》をうかがい見《み》て、蘭《らん》がつぶやいた。

次郎吉《じろきち》が拾《ひろ》い上《あ》げたのは、コンタクトレンズだった。先《さき》ほどあせっていたのは、コンタクトレンズが目《め》からこぼれ落《お》ちたためだったのだ。

「次郎吉《じろきち》おじ様《さま》って目《め》が悪《わる》かったっけ？」

園子《そのこ》に聞《き》かれ、次郎吉《じろきち》は悲《かな》しげにうなだれた。

「さすがに七十二《ななじゅうに》にもなると、体《からだ》の至《いた》る所《ところ》がいう事《こと》をきいてくれなくてのォ…」

（とてもそうには見《み》えねぇけど…）

コナンは、すかさず内心《ないしん》でつっこみを入《い》れた。

「せめて儂《わし》の目《め》の黒《くろ》いうちに彼奴《きゃっ》を……」

「しかし、何《なん》でそんなに怪盗《かいとう》キッドを…!?」

中森警部《なかもりけいぶ》に聞《き》かれ、次郎吉《じろきち》は遠《とお》い目《め》になって語《かた》り出《だ》した。

「知《し》っておろう…儂《わし》が今《いま》までに築《きず》き上《あ》げてきた栄光《えいこう》の数々《かずかず》を。それらは、いつも新聞《しんぶん》の一《いち》面《めん》を飾《かざ》ってきた…たった一度《いちど》を除《のぞ》いてな！」

「ま、まさかそれが…」

小五郎《こごろう》がつぶやく。

次郎吉《じろきち》は、「そうじゃ!!」と、勢《いきお》いよく小五郎《こごろう》の方《ほう》を振《ふ》り返《かえ》った。

「あの盗賊《とうぞく》に一面《いちめん》どころか、二面《にめん》まで取《と》られ、『人力飛行機世界一周《じんりきひこうきせかいいっしゅう》』という儂《わし》の大快挙《だいかいきょ》が三面《さんめん》の片隅《かたすみ》に追《お》いやられたのじゃ!!　わかるかこの屈辱《くつじょく》!!　この切《せつ》ない気持《きも》ちが汝《うぬ》にわかるか!?」

よほど悔《くや》しかったらしく、次郎吉《じろきち》はすごい剣幕《けんまく》だ。

小五郎《こごろう》は、次郎吉《じろきち》に詰《つ》め寄《よ》られ圧倒《あっとう》されつつも（ちょっとわかるかも…）と共感《きょうかん》していた。小五郎《こごろう》の場合《ばあい》、悔《くや》しい思《おも》いをする相手《あいて》は、高校生探偵《こうこうせいたんてい》の工藤新一《くどうしんいち》だ。新一《しんいち》が手柄《てがら》をあげるたびに新聞《しんぶん》や雑誌《ざっし》が大々的《だいだいてき》に取《と》り上《あ》げるのを、小五郎《こごろう》はいつも、悔《くや》しく思《おも》っていたのだった。

「彼奴《きゃっ》を引《ひ》っ捕《と》らえた暁《あかつき》には、この鈴木次郎吉《すずきじろきち》、再《ふたた》び一面《いちめん》に返《かえ》り咲《ざ》いてくれようぞ!!!」

あまりの気合《きあ》いの入《はい》りように、小五郎《こごろう》も蘭《らん》も「ハハ…」と乾《かわ》いた笑《わら》いを浮《う》かべるしかなかった。


翌日《よくじつ》。

いよいよ、キッドが宝石《ほうせき》を狙《ねら》うと予告《よこく》した十月十二日《じゅうがつじゅうににち》がやってきた。

「ホント、すごい数《かず》だね。ヘリコプター…」

蘭《らん》が、空《そら》を見上《みあ》げてつぶやく。次郎吉《じろきち》は、昨晩宣言《さくばんせんげん》した通《とお》り、空《そら》を埋《う》めつくさんばかりのヘリコプターを手配《てはい》していた。

「それより、この野次馬《やじうま》の数《かず》の方《ほう》が驚《おどろ》きだよ！　立《た》ち入《い》り禁止《きんし》にすりゃーいいのに…」

小五郎《こごろう》がボヤいて、集《あつ》まったキッドファンたちをいまいましげに見《み》やる。鈴木大博物館《すずきだいはくぶつかん》前《まえ》の道路《どうろ》は、神出鬼没《しんしゅつきぼつ》の怪盗《かいとう》の姿《すがた》を一目見《ひとめみ》ようと集《あつ》まった人《ひと》たちであふれ、昨日以上《きのういじょう》にごったがえしていた。みんな目《め》を輝《かがや》かせて、キッドの登場《とうじょう》を心待《こころま》ちにしている。

「おじ様《さま》がわざと入《い》れたのよ！　キッドの逮捕《たいほ》シーンの映像《えいぞう》にはリアルなエキストラが必要《ひつよう》だってね！」

（そーいえば、あの大博物館《だいはくぶつかん》のお披露目《ひろめ》のＣＭ《シーエム》や特番《とくばん》も派手《はで》な空撮《くうさつ》やってたな…）

コナンは、以前ＴＶ《いぜんテレビ》で見《み》た大博物館《だいはくぶつかん》オープン時《じ》のＣＭ《シーエム》を思《おも》い出《だ》した。ＣＭ《シーエム》では、大博物《だいはくぶつ》館《かん》の建物《たてもの》を真上《まうえ》から撮《と》ったカットがたくさん使《つか》われていたが、あれはおそらく、派手好《はでごの》みの次郎吉《じろきち》がわざわざヘリコプターを手配《てはい》して撮影《さつえい》したものだったのだろう。

「でも、こんな人混《ひとご》みの中《なか》でキッド待《ま》ってるの大変《たいへん》じゃない？」

不安《ふあん》げな蘭《らん》に、「大丈夫《だいじょうぶ》！」と園子《そのこ》は笑顔《えがお》を向《む》けた。

「わたし達《たち》にはとっておきの席《せき》が用意《ようい》してあるから！」

園子《そのこ》の言《い》う「とっておきの席《せき》」は、キッドを一番近《いちばんちか》くで見《み》られる場所《ばしょ》に用意《ようい》されていた。

「園子様《そのこさま》、お待《ま》ちしておりました…」

待機《たいき》していた給仕《きゅうじ》が礼儀正《れいぎただ》しく頭《あたま》を下《さ》げた。

「さあ、お連《つ》れ様《さま》もあちらの席《せき》へ…」

「ありがと！」

園子《そのこ》がにこやかにお礼《れい》を言《い》う。

(おいおいマジかよ⁉　ここ、屋上《おくじょう》じゃねーか‼)

小五郎《こごろう》は驚《おどろ》いて、ぐるりと周囲《しゅうい》を見《み》まわした。

園子《そのこ》に連《つ》れてこられたのは、昨日《きのう》、キッドが現《あらわ》れたすぐ近《ちか》くのビルの屋上《おくじょう》だったのだ。

殺風景《さっぷうけい》なビルの屋上《おくじょう》には、ぱりっとしたクロスのかかったテーブルがセットされ、大《おお》きなパラソルが風《かぜ》にはためいている。

「お飲《の》み物《もの》は何《なに》かお召《め》し上《あ》がりになりますか？」

「任《まか》せるわ…」

慣《な》れた様子《ようす》で給仕《きゅうじ》に応対《おうたい》する園子《そのこ》の姿《すがた》に、コナンは苦笑《にがわら》いした。

(初《はじ》めてこいつがお嬢様《じょうさま》に見《み》えて来《き》たぜ…)

屋上《おくじょう》は落《お》ち着《つ》いていて、キッドファンであふれた地上《ちじょう》の騒《さわ》ぎがウソのようだ。

「だが、さすがにキッドが現《あらわ》れたそばのビルの屋上《おくじょう》だけに、警備員《けいびいん》しか入《い》れてねぇみたいだな…」

小五郎《こごろう》の視線《しせん》の先《さき》では、警備《けいび》の男性《だんせい》が数人《すうにん》、身体《からだ》の後《うし》ろで手《て》を組《く》んで立《た》っていた。みんながガッシリとした身体《からだ》つきで、いつキッドがやってきても対応《たいおう》できるよう周囲《しゅうい》に目《め》を光《ひか》らせている。

(しかしわからねぇ…一応《いちおう》あの後《あと》、ヘリが撮《と》った映像《えいぞう》を見《み》せてもらったけど、妙《みょう》な物《もの》は何《なに》も写《うつ》っていなかった…)

コナンは、空中《くうちゅう》を歩《ある》いていたキッドの姿《すがた》を思《おも》い浮《う》かべた。

上空《じょうくう》から吊《つ》っていたわけではない。左右《さゆう》のビルにも不審《ふしん》な点《てん》はなかった。

(しかも奴《やつ》は空中《くうちゅう》で姿《すがた》を消《け》しやがった…一体《いったい》どうやって…!?)

その時《とき》、突然強《とつぜんつよ》い風《かぜ》が吹《ふ》いてきて、コナンは思考《しこう》を中断《ちゅうだん》した。

隣《となり》の蘭《らん》が「きゃっ」と悲鳴《ひめい》をあげる。見《み》れば、かぶっていた帽子《ぼうし》が吹《ふ》き飛《と》ばされて、フエンスの方《ほう》まで転《ころ》がっていた。

「ボク取《と》って来《く》るよ!!」

コナンが、即座《そくざ》に立《た》ち上《あ》がる。

蘭《らん》は、強風《きょうふう》に目《め》を細《ほそ》めながら「ごめーん！」と謝《あやま》った。

「何《なん》とかなんねーのか？　このヘリの風《かぜ》！」

小五郎《こごろう》がボヤく。強風《きょうふう》の原因《げんいん》は、大量《たいりょう》に飛《と》んでいるヘリコプターだ。

帽子《ぼうし》を拾《ひろ》いに向《む》かったコナンは、フェンスの下《した》の壁《かべ》に妙《みょう》な引《ひ》っかき傷《きず》がついていることに気《き》づいた。

「ん？」

(傷《きず》？　何《なに》かが引《ひ》っかかったような……しかもまだ…真新《まあたら》しいじゃねーか!!)

もしかしたらこの傷跡《きずあと》は——空中歩行《くうちゅうほこう》のカラクリを解《と》き明《あ》かす重要《じゅうよう》な手掛かり《ピース》かもしれない。


キッドの予告《よこく》した時刻《じこく》まで、あと数時間《すうじかん》。

コナンたちは、テーブルの上《うえ》に置《お》いたモニターで、ニュース番組《ばんぐみ》を見《み》ていた。アナウンサーが、博物館《はくぶつかん》の前《まえ》から中継《ちゅうけい》をしている。

「御覧《ごらん》ください!!　空《そら》を覆《おお》わんばかりのこのヘリコプターの数《かず》!!　そして、この周辺一帯《しゅうへんいったい》に配置《はいち》された無数《むすう》の警備員《けいびいん》!!　これらは、まさに鈴木財閥《すずきざいばつ》が威信《いしん》をかけて集結《しゅうけつ》させた精鋭《せいえい》部隊《ぶたい》!!」

博物館前《はくぶつかんまえ》は、熱狂《ねっきょう》したキッドファンでいっぱいだった。『キッドLOVE《ラブ》』と書《か》かれたカードを持《も》った若《わか》い女性《じょせい》や、ピースサインをしている女性《じょせい》が中継映像《ちゅうけいえいぞう》に映《うつ》り込《こ》んでいる。

「こんな警戒《けいかい》の中《なか》、はたして彼《かれ》は本当《ほんとう》に来《く》るのでしょうか？　鈴木大博物館屋上《すずきだいはくぶつかんおくじょう》に飾《かざ》り付《つ》けられた『大海の奇跡《ブルー・ワンダー》』を盗《ぬす》むと予告《よこく》する…あの怪盗《かいとう》キッドは!!」

「来《く》るよ来《く》る！　来《く》るに決《き》まってるでしょーー!!」

アナウンサーの言葉《ことば》に応《こた》えたのは、園子《そのこ》だ。その声《こえ》は、子供《こども》のように弾《はず》んでいる。

「とても宝石《ほうせき》を狙《ねら》われてる鈴木財閥《すずきざいばつ》のお嬢様《じょうさま》のセリフとは思《おも》えねぇな…」

小五郎《こごろう》に指摘《してき》され、園子《そのこ》は「だって怪盗《かいとう》キッドよ！」と明《あか》るく返《かえ》した。

「一度《いちど》でいいから直接会《ちょくせつあ》ってみたいもの！　本当《ほんとう》は『博物館《はくぶつかん》の屋上《おくじょう》で宝石《ほうせき》がくっついてるあの女神像《めがみぞう》をわたしが抱《かか》えて待《ま》ってようか？』って言《い》ったんだけど、次郎吉《じろきち》おじ様《さま》が許《ゆる》してくれなくて〜〜〜!!」

「まさか、そのまま宝石《ほうせき》と一緒《いっしょ》にさらわれちゃう気《き》だったんじゃ…」

蘭《らん》に言《い》われて、園子《そのこ》は「そうそう！」とうなずいた。

「そして囚《とら》われの身《み》となったわたしを真《まこと》さんが助《たす》けに来《き》てくれるってわけ！」

彼氏《かれし》である京極真《きょうごくまこと》のことを思《おも》い出《だ》し、園子《そのこ》は顔《かお》を赤《あか》らめた。

「はぁ〜〜っ！　二人《ふたり》の男《おとこ》に取《と》り合《あ》いされちゃうなんて…園子《そのこ》困《こま》っちゃう〜〜♡」

妄想《もうそう》にひたりきっている園子《そのこ》に、小五郎《こごろう》は「ハハ…」と乾《かわ》いた笑《わら》いを向《む》けた。

「しかしまぁ、この尋常《じんじょう》じゃない警備態勢《けいびたいせい》も無理《むり》ねーか…昨夜《ゆうべ》下見《したみ》だと予告《よこく》して、このビルの真横《まよこ》に身体《からだ》を浮《う》かべて現《あらわ》れ、そのまま空中《くうちゅう》を歩《ある》いてあの博物館《はくぶつかん》の側《そば》まで迫《せま》り、突然《とつぜん》消《き》えたあの大怪盗《だいかいとう》を捕《つか》まえようってんだから…」

「ホント、タネも仕掛《しか》けもございませんって感《かん》じで歩《ある》いてたもんね…」

「タネや仕掛《しか》けはあるんじゃない？」

口《くち》を挟《はさ》んだのは、コナンだった。

「だって、そんなに簡単《かんたん》に人《ひと》が空《そら》を歩《ある》けたら鳥《とり》さん達《たち》がビックリしちゃうでしょ？　だから絶《ぜ》ーっ対《たい》何《なに》かあるはずだよ!!」

「と、鳥《とり》さんって…」

いかにも子供《こども》らしいコナンの言《い》い方《かた》に、園子《そのこ》があきれ顔《がお》になる。

「あら、かわいい事《こと》いうのねコナン君《くん》♡」

蘭《らん》に笑顔《えがお》を向《む》けられ、コナンは（ちょっとガキっぽ過《す》ぎたかな…）と反省《はんせい》しつつ、蘭《らん》の飛《と》ばされた帽子《ぼうし》を差《さ》し出《だ》した。

「フン！　ガキはキッドのマジックで鳥《とり》と一緒《いっしょ》に驚《おどろ》いてろってんだ！」

「そのトリックはまだわからないけど、それを仕掛《しか》けた跡《あと》なら見《み》つけたかもしれないよ！」

そう言《い》って、コナンは引《ひ》っかき傷《きず》のある壁《かべ》を指《ゆび》さした。

「ホラ！　あそこの壁《かべ》についた何《なに》かが引《ひ》っ掛《か》かったような傷《きず》！　あれってまだ新《あたら》しいからキッドが残《のこ》した傷《きず》だったりして…」

コナンの言《い》う通《とお》り、壁《かべ》に残《のこ》った傷《きず》は真新《まあたら》しかった、おそらく、ここ数日《すうじつ》のうちについたものだろう。だとすれば、キッドの空中歩行《くうちゅうほこう》と何《なに》か関係《かんけい》があるのかもしれない。

小五郎《こごろう》たちは屋上《おくじょう》を調《しら》べて、同《おな》じような傷《きず》がほかにもないか調《しら》べてみたが、コナンが発見《はっけん》した一《いっ》か所《しょ》のほかには見《み》つからなかった。

では、近隣《きんりん》のビルはどうだろうか？

園子《そのこ》に頼《たの》んで、反対側《はんたいがわ》のビルにも同《おな》じ傷跡《きずあと》がないか警備員《けいびいん》に携帯電話《けいたいでんわ》で確認《かくにん》してもらった。すると──

「え？　そっちにもある？　本当《ほんとう》にそっちのビルにも似《に》たような傷《きず》があるのね？」

『はい！　真新《まあたら》しい引《ひ》っかき傷《きず》が…』

ちょうど真向《まむ》かいのビルの屋上《おくじょう》に、同《おな》じ傷《きず》が残《のこ》っていたという。

「何《なん》だろ？　この跡《あと》…」

通話《つうわ》を終《お》えた園子《そのこ》は、首《くび》をひねった。

「もしかしてワイヤーをこっちとあっちのビルに渡《わた》してあったんじゃない？」

蘭《らん》が、傷跡《きずあと》をのぞきこみながら言《い》う。

「きっとそれを使《つか》って、キッドは宙《ちゅう》に浮《う》いてるように見《み》せかけたのよ！」

「それはねえよ！」

小五郎《こごろう》が、蘭《らん》の思《おも》いつきを即座《そくざ》に否定《ひてい》した。

「昨夜向《ゆうべむ》こうのビルに登《のぼ》った中森警部《なかもりけいぶ》が言《い》ってたよ、屋上《おくじょう》にはワイヤーなんてなかったってな！　それに、そんなんで吊《つ》るされてたら歩《ある》けねえだろーが!!」

「あ、そっか！」

蘭《らん》があっさり納得《なっとく》する。

確《たし》かに、昨晩《さくばん》のキッドの動《うご》きは、吊《つ》るされているとは思《おも》えないほど自然《しぜん》だった。それに、足音《あしおと》もしっかり聞《き》こえていたのだ。

「ねえ！　ひょっとして立体映像《りったいえいぞう》を映《うつ》し出《だ》す機械《きかい》を取《と》り付《つ》ける跡《あと》だったりしない？」

今度《こんど》は園子《そのこ》が言《い》った。

「ホラ、こっちとむこうの二《に》か所《しょ》から映写《えいしゃ》すれば…」

「無理無理《むりむり》無理《むり》！　今《いま》の技術《ぎじゅつ》じゃ何《なに》もない空間《くうかん》にあんな鮮明《せんめい》な動《うご》く立体映像《りったいえいぞう》を映《うつ》す事《こと》なんかできねえよ！　昨夜《ゆうべ》キッドを目撃《もくげき》した人間《にんげん》が全員《ぜんいん》3D《スリーディー》眼鏡《めがね》をかけていたわけじゃあるまいし…」

「じゃあ、お父《とう》さんはあのトリックわかるの？」

蘭《らん》に聞《き》かれ、小五郎《こごろう》は得意《とくい》げに「まあな！」とうなずいた。

「人間《にんげん》っていうのはなァ、そんな物《もの》あるわけないと思《おも》い込《こ》むと、たとえそこにあったとしても先入観《せんにゅうかん》で見《み》えなくなっちまうんだよ！」

「それで？」

「何《なん》なの？　そんな物《もの》って…」

園子《そのこ》と蘭《らん》が、真剣《しんけん》な表情《ひょうじょう》で小五郎《こごろう》を見《み》つめる。

「そう…たとえば……バカでかい硬質《こうしつ》ガラスだ!! それをビルの間《あいだ》にかけて、キッドはその上《うえ》を歩《ある》いたんだよ!!」

小五郎《こごろう》のヘッポコ推理《すいり》を聞《き》いて、蘭《らん》と園子《そのこ》は目《め》が点《てん》になった。

しかし小五郎《こごろう》は二人《ふたり》の様子《ようす》には気《き》づかず、あごに手《て》を当《あ》てて推理《すいり》を続《つづ》けようとする。

「中森警部《なかもりけいぶ》が気《き》づかなかったのは、まさかガラスが乗《の》ってるなんて思《おも》わなかったから!

つまりこの傷《きず》は、そのガラスを固定《こてい》した器具《きぐ》を取《と》り外《はず》した時《とき》にできた…」

「そんなガラスがあったらいくらなんでも誰《だれ》かが気《き》づいてるわよ!!」

「だいいち、そんな物《もの》どーやって運《はこ》んでどーやって片付《かたづ》けたっていうの?」

蘭《らん》と園子《そのこ》に口々《くちぐち》に反論《はんろん》され、小五郎《こごろう》は「だ、だからたとえばの話《はなし》だって…」と言葉《ことば》をにごした。

「ま、まぁとにかく! キッドがここに何《なに》かを仕掛《しか》けていたのは間違《まちが》いなさそうだな……」

ごまかすように言《い》って、壁《かべ》の傷跡《きずあと》をのぞきこむ。

しかしコナンは、小五郎《こごろう》の突拍子《とっぴょうし》もない推理《すいり》に、引《ひ》っかかりを覚《おぼ》えていた。

（先入観《せんにゅうかん》で……見《み》えなくなる？）


夜《よる》になり、キッドが予告《よこく》した二十時《にじゅうじ》が近《ちか》づくにつれ、集《あつ》まったキッドファンたちのテンションはどんどん上《あ》がっていった。

「キッド！　キッド！」

あちこちからキッドコールがあがる。月下《げっか》の奇術師《きじゅつし》が再《ふたた》び空中《くうちゅう》に現《あらわ》れるのを、誰《だれ》もが心《こころ》待《ま》ちにしていた。

「な、中森警部《なかもりけいぶ》!!　野次馬《やじうま》が次々《つぎつぎ》と押《お》し寄《よ》せて、とてもチェックしきれません！　どうやら鈴木財閥《すずきざいばつ》が、キッドファン大歓迎《だいかんげい》というチラシを配《くば》っているようで…」

警備《けいび》を担当《たんとう》している部下《ぶか》からの報告《ほうこく》を受《う》け、中森警部《なかもりけいぶ》は「チラシだとォ!?」と声《こえ》を裏返《うらがえ》した。

「このままでは暴動《ぼうどう》に…」

おろおろと報告《ほうこく》をする部下《ぶか》の背後《はいご》で「キッド！　キッド！」とキッドファンのコールはどんどん声量《せいりょう》を増《ま》していく。

「仕方《しかた》ない、ノーチェックで通《とお》しても構《かま》わんぞ!! どーせ奴《やつ》は空《そら》から来《く》るんだからな!!」

中森警部《なかもりけいぶ》は、やむを得《え》ず、そう指示《しじ》を出《だ》した。

エンジン音《おん》がして振《ふ》り返《かえ》ると、チラシをまいてキッドファンを集《あつ》めた張本人《ちょうほんにん》——鈴木次《すずきじ》郎吉《ろきち》が、例《れい》のバイクに乗《の》って博物館前《はくぶつかんまえ》へと乗《の》りつけたところだった。頭《あたま》にはいつものヘルメットをかぶっていたが、ゴーグルはしていない。サイドカーにはルパンの姿《すがた》もあった。

「くそっ!! 警察《けいさつ》の警備態勢《けいびたいせい》はメチャクチャだ。あのお騒《さわ》がせジジイのおかげでな…」

中森警部《なかもりけいぶ》は、いまいましげにつぶやいて、次郎吉《じろきち》をジロリとにらんだ。

バイクを降《お》りる次郎吉《じろきち》に、中継《ちゅうけい》をしていたアナウンサーが駆《か》け寄《よ》ってマイクを向《む》けた。

「『大海の奇跡《ブルー・ワンダー》』の所有者《オーナー》の鈴木財閥相談役《すずきざいばつそうだんやく》、鈴木次郎吉《すずきじろきち》さんですね!!」

「いかにも!」

うなずいて、次郎吉《じろきち》はヘルメットを外《はず》した。

「予告《よこく》の時間《じかん》まであと一時間《いちじかん》ですが、キッド対策《たいさく》は万全《ばんぜん》なんでしょうか!?」

「フン! 昨夜《ゆうべ》はチンケなマジックショーがあったようじゃが、今夜《こんや》は儂《わし》が皆《みな》さんにお観《み》せしよう…ハリウッド映画顔《えいがかお》負《ま》けの、大捕《おおと》り物劇《ものげき》をな!!」

不敵《ふてき》に宣言《せんげん》して、次郎吉《じろきち》はにやりと歯《は》を見《み》せて笑《わら》った。

「で、では、自信《じしん》がおありで…」

「なんなら、警察《けいさつ》に引《ひ》き渡す前《まえ》にあんたんトコのTV《テレビ》に出演《しゅつえん》させてやってもよいぞー!!

彼奴《きゃつ》の泣《な》きっ面《つら》の全国放送《ぜんこくほうそう》じゃ!!!」

高《たか》らかに宣言《せんげん》して「アッアッアッ！」と独特《どくとく》な笑《わら》い声《ごえ》をあげた次郎吉《じろきち》の顔《かお》が、モニター画面《がめん》に大《おお》きく映《うつ》る。

次郎吉《じろきち》へのインタビューの様子《ようす》を、コナンたちは屋上《おくじょう》のテーブルに座《すわ》って見《み》ていた。

「もうおじ様《さま》ったら、やる気満々《きまんまん》って感《かん》じね！」

「では一《いっ》たんCM《シーエム》です！」

ニュース番組《ばんぐみ》がCM《シーエム》へと切《き》り替《か》わる。

すると、明《あか》るいメロディとともに、鈴木大博物館《すずきだいはくぶつかん》の映像《えいぞう》が映《うつ》し出《だ》された。

『潮留《しおとめ》にできたニュースポット！　歴史《れきし》と文化《ぶんか》、香《かお》りが漂《ただよ》う鈴木大博物館《すずきだいはくぶつかん》！　貴方《あなた》もぜひ一度《いちど》……』

「ハハ…CM《シーエム》まであの博物館《はくぶつかん》かよ？」

小五郎《こごろう》が、うんざり気味《ぎみ》につぶやいた。

画面《がめん》には、ライトアップされた大博物館《だいはくぶつかん》を上空《じょうくう》から撮影《さつえい》した、派手《はで》な映像《えいぞう》が流《なが》れている。

「タイアップよタイアップ！　こーいうトコ、抜《ぬ》け目《め》ないんだからおじ様《さま》は！　この空撮《くうさつ》だって特番《とくばん》で撮《と》ったヤツの切《き》り貼《ば》りだし、ああ見《み》えて、意外《いがい》とちゃっかりしてるのよね――！」

そう言《い》うと、園子《そのこ》は胸《むね》の前《まえ》で指《ゆび》を組《く》んだ。

「あ〜〜〜早《はや》く来《き》て怪盗《かいとう》キッド!!　そしてわたしの熱《あつ》いハートを盗《ぬす》んでェ〜〜〜ん♡」

「こんな騒音《そうおん》の中《なか》で会《あ》ってもねぇ…風《かぜ》だってすごいし…」

蘭《らん》が苦笑《にがわら》いする。

蘭《らん》の言《い》う通《とお》り、ヘリコプターがひっきりなしに行《い》き交《か》っているせいで、屋上《おくじょう》には強《つよ》い風《かぜ》がびゅんびゅん吹《ふ》いていた。

(風《かぜ》？)

ピンときて、コナンはぴょんと椅子《いす》から飛《と》び降《お》りた。

「ちょっとボク、次郎吉《じろきち》おじさんのトコに行《い》ってくるね――!!　面白《おもしろ》い事《こと》に気《き》づいたから！」

「え？　なーに？　面白《おもしろ》い事《こと》って…」

蘭《らん》が聞《き》くが、コナンは「内緒《ないしょ》！」と言《い》い残《のこ》して、走《はし》っていってしまった。

「――ったく、これからディナーが出《で》て来《く》るっていうのに…」

園子《そのこ》が顔《かお》をしかめる。

「おいおい…こんな所《ところ》で飯食《めしく》わす気《き》かよ？」

小五郎《こごろう》がボヤいた。確《たし》かに、この強風《きょうふう》の中《なか》で食事《しょくじ》をするのは、大変《たいへん》そうだ。


コナンが向《む》かったのは、ヘリコプターからの映像《えいぞう》を受《う》け取《と》るワゴン車《しゃ》だった。

車内《しゃない》でモニターをにらんでいた次郎吉《じろきち》に、声《こえ》をかける。

「なに!?　昨日《きのう》の怪盗《かいとう》キッドの映像《えいぞう》をもう一度《いちど》観《み》せてくれじゃと？」

「うん！　どーしても観《み》て来《こ》いって小五郎《こごろう》おじさんが…」

いつものように、勝手《かって》に小五郎《こごろう》の名前《なまえ》を出《だ》して、頼《たの》みこむ。

「ボウヤ！　昨夜《ゆうべ》穴《あな》があくほど観《み》たじゃないか！」

機材《きざい》スタッフの一人《ひとり》が、あきれたように言《い》った。

「それに、もう相談役《そうだんやく》の自伝映画《じでんえいが》の製作《せいさく》スタッフの元《もと》へ送《おく》っちゃったよ…」

「え～～っ!!」

不満《ふまん》げに顔《かお》をしかめたコナンの背後《はいご》から、中森警部《なかもりけいぶ》が声《こえ》をかけた。

「まあその映像《えいぞう》は全《すべ》て、後程《のちほど》、我々警察《われわれけいさつ》へ提出《ていしゅつ》してもらう事《こと》になりますよ……なにしろ怪盗《かいとう》キッドがあんな派手《はで》な下見《したみ》をやるなんて、今《いま》までになかった事《こと》ですからな…」

(そーいえばそうだ……)

中森警部《なかもりけいぶ》の言《い》う通《とお》りだと気《き》がついて、コナンはふと考《かんが》え込《こ》んだ。

確《たし》かに、昨晩姿《さくばんすがた》を見《み》せたキッドは、空中《くうちゅう》を歩《ある》いてみせただけで、肝心《かんじん》の宝石《ほうせき》は盗《ぬす》んでいなかった。大胆《だいたん》で派手《はで》な演出《えんしゅつ》を好《この》むキッドだが、宝石《ほうせき》を盗《ぬす》まずにショーだけで終《お》わらせたのは昨日《きのう》が初《はじ》めてのことだ。

(何《なん》でキッドは、あんなデモンストレーションを……)

時計《とけい》の針《はり》は、十九時五十九分《じゅうくじごじゅうきゅうふん》を指《さ》している。キッドが予告《よこく》した時間《じかん》まで、いよいよ六十秒《ろくじゅうびょう》を切《き》った。

「55！　54！　53！」

ワゴン車《しゃ》の外《そと》から、人々《ひとびと》のカウントダウンが聞《き》こえてくる。

TV画面《テレビがめん》の中《なか》では、アナウンサーが緊迫《きんぱく》した様子《ようす》で実況《じっきょう》を続《つづ》けていた。

「さあ、予告《よこく》の時間《じかん》まであと一分《いっぷん》を切《き》りました！　集《あつ》まったキッドファンからカウントダウンが始《はじ》まっています！　我々《われわれ》もその奇跡《きせき》の瞬間《しゅんかん》を見届《みとど》けましょう!!」
40、39……
キッドファンたちのカウントダウンが続《つづ》く。

「フン！　来《き》やせんよ…」

自信満々《じしんまんまん》に言《い》う次郎吉《じろきち》に「え？」と中森警部《なかもりけいぶ》が顔《かお》を向《む》けた。

「ショーを始《はじ》める前《まえ》からステージに客《きゃく》を上《あ》げ、自分《じぶん》の周《まわ》りを囲《かこ》ませるマジシャンなんぞまずはおらぬ…トリックのタネがバレてしまうからなァ…」
10、9……
秒読《カウントダウン》みの数字《すうじ》は、着々《ちゃくちゃく》と減《へ》っていく。

「彼奴《きゃっ》は今夜《こんや》もあのビルの間《はざま》に姿《すがた》を現《あらわ》すと言《い》い放《はな》った！　野次馬《やじうま》の視線《しせん》が集《あつ》まり、ヘリの風《かぜ》に煽《あお》られ、ハンググライダーで飛《と》ぶ事《こと》もままならぬあの中空《ちゅうくう》にな！　ありえんよ…あそこに姿《すがた》を現《あらわ》す事《こと》なんぞ。まぁ彼奴《きゃっ》が天狗《てんぐ》や仙人《せんにん》の類《たぐい》なら話《はなし》は別《べつ》じゃがのォ…」

自信満々《じしんまんまん》に言《い》うと、次郎吉《じろきち》は機嫌《きげん》よく目《め》を細《ほそ》め、またあの高笑《たかわら》いを始《はじ》めた。

「アッアッアッアッ…ア!?」

高笑《たかわら》いが途中《とちゅう》で止《と》まる。

ポン、という甲高《かんだか》い音《おと》とともに、宙《ちゅう》で煙《けむり》がはじけたのだ。

ヘリコプターが照《て》らすライトの中《なか》で、白《しろ》いマントが輝《かがや》く。

煙《けむり》の中《なか》から姿《すがた》を現《あらわ》したのは――怪盗《かいとう》キッドだった。

「か、怪盗《かいとう》キッド!!」

中森警部《なかもりけいぶ》と次郎吉《じろきち》が、声《こえ》をそろえて叫《さけ》ぶ。

「キッドです!! たった今《いま》、怪盗《かいとう》キッドが予告《よこく》どおり姿《すがた》を現《あらわ》しました!!!」

アナウンサーが、早口《はやくち》にまくしたてた。

「キャ――キッド様《さま》♡」

屋上《おくじょう》にいた園子《そのこ》は、すっかりときめいて黄色《きいろ》い声《こえ》をあげた。

キッドは確《たし》かに、宙《ちゅう》に浮《う》いている。そして、昨晩《さくばん》と同《おな》じく、ワイヤーなどで吊《つ》られているような形跡《けいせき》はなかった。

「き、来《き》やがった!!」

「ホ、ホントに浮《う》いてる!?」

小五郎《こごろう》と蘭《らん》は、キッドの方《ほう》へ視線《しせん》を向《む》けようとした。しかし、屋上《おくじょう》はヘリコプターの風《かぜ》が強《つよ》すぎて、目《め》を大《おお》きく開《あ》けていられない。

ワゴン車《しゃ》の中《なか》では、中森警部《なかもりけいぶ》がすっかり困惑《こんわく》していた。

「バ、バカな⁉　一体奴《いったいやつ》はどこからどーやって姿《すがた》を⁉」

ちょうどその時《とき》、ポツポツと雨《あめ》が降《ふ》り出《だ》した。

(雨《あめ》……)

雨音《あまおと》に気《き》づいて、コナンは中継車《ちゅうけいしゃ》の外《そと》に目《め》をやった。

外《そと》でカメラを回《まわ》していた中継《ちゅうけい》スタッフが、あわてて機材《きざい》にビニールシートをかぶせる。

「ちょっとやだ、雨《あめ》⁉」

「何《なん》でこんな時《とき》に⁉」

屋上《おくじょう》にいた蘭《らん》や園子《そのこ》、小五郎《こごろう》は、あわててパラソルの下《した》に避難《ひなん》した。しかし集《あつ》まったキッドファンたちは、突然《とつぜん》の雨《あめ》などものともせず、「キッド！　キッド！」とますます熱狂《ねっきょう》してキッドへと声援《せいえん》を送《おく》っていた。

「と、突然《とつぜん》の雨《あめ》にもかかわらず、キッドコールは鳴《な》り止《や》みません‼」

その時《とき》。

ワゴン車《しゃ》の中《なか》で、一台《いちだい》のモニターが急《きゅう》に真《ま》っ暗《くら》になった。

「ん？　おい！　どーした7番機《ばんき》‼　おい⁉」

スタッフが、大声《おおごえ》で無線《むせん》に向《む》かって呼《よ》びかける。

「何《なん》じゃ⁉」

「急《きゅう》に7番機《ばんき》からの映像《えいぞう》が途絶《とだ》えまして…」

スタッフが次郎吉《じろきち》に報告《ほうこく》していると、7番機《ばんき》のヘリコプターから応答《おうとう》が入《はい》った。

「こちら7番機《ばんき》、特《とく》に異状《いじょう》はありませんが…恐《おそ》らく、この雨《あめ》の影響《えいきょう》で一時的《いちじてき》に映像《えいぞう》が乱《みだ》れているのでは…」

「いや、もしかしたらキッドが手下《てした》に妨害電波《ぼうがいでんぱ》を流《なが》させて、何《なに》か企《たくら》んでいるかも…」

中森警部《なかもりけいぶ》が、モニターをにらみながらつぶやくと、コナンが「え？」と意外《いがい》そうな顔《かお》になった。

「キッドに手下《てした》なんているの？」

「あ、ああ…老人《ろうじん》とか若《わか》い女《おんな》とか色々報告《いろいろほうこく》はあるが、一人《ひとり》いる事《こと》は確《たし》かだよ！」

そう言《い》うと、中森警部《なかもりけいぶ》は無線機《むせんき》に向《む》かって声《こえ》をかけた。

「おい！　周辺《しゅうへん》を警戒中《けいかいちゅう》の各員《かくいん》聞《き》こえるか⁉　中森《なかもり》だ‼　野次馬《やじうま》の中《なか》に電波《でんぱ》を出《だ》すような機械《きかい》を持《も》った奴《やつ》がいないか今《いま》すぐチェックしろ‼　そいつがキッドの手下《てした》かもしれんぞ‼」

中森警部《なかもりけいぶ》の指示《しじ》で、路上《ろじょう》やビルの屋上《おくじょう》など、あちこちで警備《けいび》についていた警察官《けいさつかん》たちが、いっせいにキッドの手下《てした》を捜《さが》し始《はじ》めた。

当《とう》のキッドは、涼《すず》しい顔《かお》で、軽《かろ》やかに右足《みぎあし》を前《まえ》へと踏《ふ》み出《だ》した。

「あ、歩《ある》いてます!!　キッドが、昨夜《ゆうべ》と同《おな》じく歩《ある》き始《はじ》めました！」

コッ、コッ、と見《み》えない通路《つうろ》を踏《ふ》む足音《あしおと》が、TV《テレビ》カメラのマイクにもしっかり拾《ひろ》われている。

「相談役《そうだんやく》！　早《はや》く指示《しじ》を!!　このままでは今度《こんど》こそ本当《ほんとう》に…」

スタッフがせかすが、次郎吉《じろきち》は動《うご》こうとせず、腕組《うでぐ》みをしたまま「フン！」と鼻《はな》を鳴《な》らした。

「そう易々《やすやす》と盗《と》られてたまるか…『大海の奇跡《ブルー・ワンダー》』を一《いっ》たん館内《かんない》に取《と》り込《こ》め！　彼奴《きゃつ》との知《ち》恵比《えくら》べじゃ！」

一方《いっぽう》コナンは、ワゴン車《しゃ》の中《なか》で、必死《ひっし》に考《かんが》えを巡《めぐ》らせていた。気《き》になる情報《じょうほう》は、四《よっ》つ。屋上《おくじょう》の壁《かべ》についていた真新《まあたら》しい傷跡《きずあと》と、小五郎《こごろう》が言《い》っていた『先入観《せんにゅうかん》』という言葉《ことば》。ヘリコプターが巻《ま》き起《お》こす強風《きょうふう》と、中森警部《なかもりけいぶ》から聞《き》いた手下《てした》の存在《そんざい》――。

(傷《きず》…先入観《せんにゅうかん》…風《かぜ》…手下《てした》…)

「!!!」

コナンははっとして、顔《かお》を上《あ》げた。

四《よっ》つの手《て》がかりが一《ひと》つに結《むす》びついたのだ。

(なるほど… そういう事《こと》か……)

ワゴン車《しゃ》のモニターに映《うつ》るキッドの姿《すがた》をちらりと見《み》やり、コナンは不敵《ふてき》にほほえんで、キッドへと語《かた》りかけた。

(読《よ》めたぜ怪盗《かいとう》キッド! お前《まえ》が空中《くうちゅう》に現《あらわ》れ歩《ある》き、消《き》えたトリック! そして、これからお前《まえ》が「大海の奇跡《ブルー・ワンダー》」を掠《かす》め盗《と》る…その手口《てぐち》もな!!)


一方《いっぽう》、キッドは宙《ちゅう》を歩《ある》き、着々《ちゃくちゃく》と「大海の奇跡《ブルー・ワンダー》」に近《ちか》づいていた。

「な、何度《なんど》見《み》ても信《しん》じられません!! 雨《あめ》の中《なか》、怪盗《かいとう》キッドが空中《くうちゅう》を歩《ある》いています!! 本当《ほんとう》にこのまま、鈴木大博物館屋上《すずきだいはくぶつかんおくじょう》に飾《かざ》り付《つ》けられた『大海の奇跡《ブルー・ワンダー》』は彼《かれ》の手《て》に落《お》ちてしまうのでしょうか!?」

アナウンサーが、緊迫《きんぱく》した様子《ようす》でキッドを見守《みまも》る。

ワゴン車《しゃ》の中《なか》では、中森警部《なかもりけいぶ》が「おのれキッドめ…」と唇《くちびる》をかんでいた。

「相談役《そうだんやく》！『大海の奇跡《ブルー・ワンダー》』の館内《かんない》への取《と》り込《こ》み、完了《かんりょう》しました！」

スタッフが、次郎吉《じろきち》に報告《ほうこく》する。これで、「大海の奇跡《ブルー・ワンダー》」は、無事《ぶじ》に偽物《にせもの》とすり替《か》わった。

「よーし、これより先手《せんて》を打《う》つ！　すぐに館内《かんない》の全《すべ》ての照明《しょうめい》を消《け》せィ!!」

次郎吉《じろきち》の指示《しじ》に、スタッフが「え？」ととまどった。

「消《け》すんですか？」

「ああ…彼奴《きゃっ》が館内《かんない》の映像《えいぞう》を傍受《ぼうじゅ》しておる可能性《かのうせい》もあるからのォ！」

「おいちょっと…そんな事《こと》をすれば、逆《ぎゃく》にキッドの思《おも》う壺《つぼ》に…」

文句《もんく》を言《い》ってきた中森警部《なかもりけいぶ》に、次郎吉《じろきち》はうっとうしそうに言《い》い返《かえ》した。

「ならばあるのか？　中森警部《なかもりけいぶ》…まるで仙人《せんにん》の如《ごと》く空中《くうちゅう》を闊歩《かっぽ》して迫《せま》り来《く》る、あの大泥棒《おおどろぼう》を阻止《そし》する名案《めいあん》が、他《ほか》に何《なに》かあるというのか!?」

「し、しかし、宝石《ほうせき》を明《あ》かりを消《け》した博物館《はくぶつかん》の中《なか》に取《と》り込《こ》んで一体何《いったいなに》を…？」

「要《よう》は彼奴《きゃっ》に盗《ぬす》ませなければよいのじゃよ…『大海の奇跡《ブルー・ワンダー》』が彼奴《きゃっ》の手《て》に届《とど》かなければ儂《わし》の勝《か》ちじゃ。そこで相談《そうだん》じゃが、ここの指揮《しき》を汝《うぬ》に委《ゆだ》ねる代《か》わりに、信用《しんよう》のおける汝《うぬ》の部下《ぶか》を数人貸《すうにんか》してくれぬか？」

「部下《ぶか》を？」

「受《う》けてやるんじゃよ…昨夜《ゆうべ》、儂《わし》が寝《ね》る間《ま》を惜《お》しんで考《かんが》えた秘策《ひさく》でのォ！」

次郎吉《じろきち》の口調《くちょう》は、いつにもまして自信《じしん》に満《み》ちていた。


そのころ、屋上《おくじょう》では、園子《そのこ》が強風《きょうふう》にもめげず、キッドに向《む》かって必死《ひっし》に呼《よ》びかけていた。

「キッド様《さま》ぁ〜〜〜〜!!　キッド様《さま》ってば〜〜〜!!」

「無理無理《むりむり》、ヘリの音《おと》がこんなにうるさいのに聞《き》こえるわけねぇって！」

小五郎《こごろう》が、すでにかなり遠《とお》くに行《い》ったキッドの背中《せなか》を見《み》ながら言《い》う。

「せっかくヘリコプターが向《む》こうに行《い》って、風《かぜ》に邪魔《じゃま》されずにキッドの姿《すがた》がよく見《み》えるようになったのに〜!!」

不満顔《ふまんがお》の園子《そのこ》を、「あんなに離《はな》れてちゃねぇ…」と蘭《らん》がなだめる。

と、その時《とき》。

キッドの肩《かた》のあたりで何《なに》か糸《いと》のようなものがキラリと光《ひか》ったのが、蘭《らん》の目《め》に映《うつ》った。

（え？　あれ？）

「さあ、怪盗《かいとう》キッド！　標的《ひょうてき》の『大海の奇跡《ブルー・ワンダー》』まであと百m《ひゃくメートル》を切《き》りました!!」

アナウンサーが実況《じっきょう》するように、キッドはもう「大海の奇跡《ブルー・ワンダー》」の目前《もくぜん》まで迫《せま》っている。

中森警部《なかもりけいぶ》は、館内《かんない》にいる部下《ぶか》に無線《むせん》で呼《よ》びかけた。

「おい！　館内《かんない》に向《む》かわせた捜査員《そうさいん》！　そっちはどうなってる？」

「完璧《かんぺき》です、中森警部《なかもりけいぶ》！　この作戦《さくせん》ならさすがのキッドも裏《うら》をかかれて……」

報告《ほうこく》しようとした部下《ぶか》の警察官《けいさつかん》をさえぎり、次郎吉《じろきち》が「しっ！」と人差《ひとさ》し指《ゆび》をたてた。

それから無線機《むせんき》をひったくって、自分《じぶん》の耳《みみ》に押《お》し当《あ》てる。

「彼奴《きゃつ》が盗聴《とうちょう》してるやもしれぬから、おしゃべりはここまで…なーに心配《しんぱい》せんでよいぞ！

細工《さいく》は流々《りゅうりゅう》じゃ！　後《あと》は結果《けっか》を御覧《ごろう》じろってなァ。アッアッアッ!!」

いつもの高笑《たかわら》いをあげると、次郎吉《じろきち》は一方的《いっぽうてき》に無線《むせん》を切《き》ってしまった。

「お、おい、ちょっと！」

無線《むせん》をかけ直《なお》そうとする中森警部《なかもりけいぶ》に、スタッフの一人《ひとり》が「け、警部《けいぶ》さん！」と声《こえ》をかけた。

「何《なん》か変《へん》ですよ、今夜《こんや》のキッド…」

「なに？」

「あ、歩《ある》いているというより……なにか揺《ゆ》れているようような…」


そのころ。

屋上《おくじょう》でも、蘭《らん》がキッドの異変《いへん》に気《き》づいていた。

「え？　糸《いと》のような物《もの》が見《み》えただと⁉　本当《ほんとう》かよ？」

半信半疑《はんしんはんぎ》の小五郎《こごろう》に、蘭《らん》が「うん！」と力強《ちからづよ》くうなずく。

「キッドの肩口《かたぐち》からキラっと光《ひか》る細《ほそ》い糸《いと》が…」

「ちょっとちょっと、もし本当《ほんとう》にそうなら…キッドは歩《ある》いてるんじゃなくて、ヘリコプターに吊《つ》られてるって事《こと》？」

園子《そのこ》は、不思議《ふしぎ》そうにキッドの背中《せなか》を見《み》つめた。

言《い》われてみれば確《たし》かに、キッドの歩《ある》き方《かた》は昨日《きのう》と違《ちが》ってどこか不自然《ふしぜん》で、ヘリコプターから吊《つ》られているようにも見《み》える。

路上《ろじょう》でキッドを見守《みまも》るキッドファンたちも、少《すこ》しずつ違和感《いわかん》を覚《おぼ》え始《はじ》めていた。

「何《なん》かおかしくないか？　キッド…」

「足《あし》は動《うご》いているけど…」

「何《なに》かに吊《つ》られているみたい…」

キッドの真上《まうえ》には、7番機《ばんき》のヘリコプターがぴったりとはりついている。

「おい！　キッドの頭上《ずじょう》にいる7番機《ばんき》！　応答《おうとう》しろ!!　7番機《ばんき》!?　おい、7番機《ばんき》!?」

中森警部《なかもりけいぶ》が無線《むせん》で呼《よ》びかけたが、返答《へんとう》はなかった。

7番機《ばんき》を運転《うんてん》しているのは、口《くち》ひげをたくわえた初老《しょろう》の男《おとこ》だった。
男《おとこ》はうっすらと笑《え》みを浮《う》かべ、手《て》の中《なか》のスイッチを押《お》した。
シュウウウ
キッドの身体《からだ》から、煙《けむり》が噴《ふ》き出《だ》す。そして、ポン！　と音《おと》をたてて、消《き》えてしまった。
「き、消《き》えた!?」
アナウンサーが、目《め》を見張《みは》って叫《さけ》んだ。

「たった今《いま》、キッドが博物館《はくぶつかん》のそばで姿《すがた》を消《け》しました!!」

「やっぱり7番機《ばんき》か!!　7番機《ばんき》に乗《の》った奴《やつ》の手下《てした》が、煙幕《えんまく》に紛《まぎ》れて機内《きない》に回収《かいしゅう》したってわけだな!!」

中森警部《なかもりけいぶ》は確信《かくしん》すると、次郎吉《じろうきち》のスタッフに向《む》かって聞《き》いた。

「おい！　お前達《まえたち》のヘリには当然番号《とうぜんばんごう》は振《ふ》ってあるよな？」

「あ、はい！　尾翼《びよく》の所《ところ》に…」

スタッフの答《こた》えを聞《き》くと、中森警部《なかもりけいぶ》は無線機《むせんき》を耳《みみ》に当《あ》てて叫《さけ》んだ。

「上空《じょうくう》を警戒中《けいかいちゅう》のヘリ連中《れんちゅう》！　聞《き》こえるか!?　警視庁《けいしちょう》の中森《なかもり》だ!!　奴《やつ》は手下《てした》とともに7番機《ばんき》の中《なか》にいる!!　直《ただ》ちに7番機《ばんき》の位置《いち》を報告《ほうこく》！　警察《けいさつ》のヘリが到着《とうちゃく》するまで取《と》り囲《かこ》んで逃《に》がすなよ!!」

「こちら14番機《ばんき》！」

すぐに、一台《いちだい》のヘリコプターから応答《おうとう》があった。

「博物館正面玄関上空《はくぶつかんしょうめんげんかんじょうくう》で待機中《たいきちゅう》の7番機視認《ばんきしにん》!!」

「よォし！　見失《みうしな》わずにそのまま追跡《ついせき》を…」

中森警部《なかもりけいぶ》が言《い》いかけた時《とき》、別《べつ》のヘリコプターからも返答《へんとう》が入《はい》った。

「こちら35番機《ばんき》！　7番機《ばんき》は只今潮留公園《ただいましおとめこうえん》の真上《まうえ》に…」

「ちょっと待《ま》て！　潮留公園《しおとめこうえん》は博物館《はくぶつかん》の裏《うら》だろーが！」

最初《さいしょ》の報告《ほうこく》によれば、7番機《ばんき》は博物館《はくぶつかん》の正面玄関《しょうめんげんかん》の上《うえ》で待機中《たいきちゅう》のはずだ。この短期間《たんきかん》に、裏《うら》の公園《こうえん》まで移動《いどう》したのだろうか？

続《つづ》けざまに、ほかのヘリコプターからも返答《へんとう》が入《はい》った。

「こちら28番機《ばんき》！　現在《げんざい》7番機《ばんき》は潮留《しおとめ》から大《おお》きく離《はな》れて…」

「こ、こちら9番機《ばんき》！　潮留公園《しおとめこうえん》手前《てまえ》で7番機《ばんき》を二機発見《にきはっけん》！」

どのヘリも、言《い》っていることが違《ちが》う。

「おいおい、何《なに》がどうなってんだ!?」

中森警部《なかもりけいぶ》は思《おも》わず声《こえ》を荒《あら》らげた。

「そ、それが…ほとんどのヘリの尾翼《びよく》に7番機《ばんき》の番号《ばんごう》が!!　お、恐《おそ》らくキッドがあらかじめ…」

「バカヤロォ!!　んなわけあるか!!　いくらなんでも乗《の》る時《とき》に誰《だれ》か気《き》づくだろーが!!」

どなる中森警部《なかもりけいぶ》に、ワゴン車《しゃ》のスタッフが「け、警部《けいぶ》さん！」と声《こえ》をかける。

「博物館《はくぶつかん》の玄関前《げんかんまえ》に妙《みょう》な人影《ひとかげ》が…一人《ひとり》や二人《ふたり》じゃありませんが…」

「ん？」

モニターをのぞきこむと、スーツ姿《すがた》の男《おとこ》たちが、わらわらと正面玄関《しょうめんげんかん》から出《で》てくるところだった。男《おとこ》の一人《ひとり》は、大《おお》きなケースを持《も》っている。

「あいつらはさっき館内《かんない》に入《い》れた…ワシの部下《ぶか》じゃないか!!」

「まさか中央《ちゅうおう》の刑事《けいじ》さんが持《も》ってるケースの中《なか》に『大海の奇跡《ブルー・ワンダー》』が…」

「何考《なにかんが》えてんだ!?　あれじゃあ、運《はこ》んでますよって言《い》ってるようなもんじゃないか!!」

中森警部《なかもりけいぶ》はあわててワゴン車《しゃ》から飛《と》び出《だ》すと、部下《ぶか》たちの前《まえ》に立《た》ちはだかった。

「バカ！　何《なに》してる!?　早《はや》く中《なか》に入《い》れろ!!」

「大丈夫《だいじょうぶ》ですよ!!」

部下《ぶか》の男《おとこ》は明《あか》るく答《こた》えると、手《て》に持《も》ったケースを軽《かる》く持《も》ち上《あ》げてみせた。

「どーせこの中《なか》は空《から》！　我々《われわれ》は囮《おとり》ですから…」

「囮《おとり》だと？」

部下《ぶか》の男《おとこ》は、にんまりと笑《わら》うと、声《こえ》をひそめて中森警部《なかもりけいぶ》に耳打《みみう》ちした。

『大海の奇跡《ブルー・ワンダー》』は、清掃員《せいそういん》に扮《ふん》した鈴木次郎吉《すずきじろきち》さんがゴミ袋《ぶくろ》に入《い》れて博物館《はくぶつかん》の裏口《うらぐち》から

…」

「え？」

部下《ぶか》の男《おとこ》が言《い》うように、本物《ほんもの》は次郎吉《じろきち》によって博物館《はくぶつかん》から持《も》ち出《だ》されていた。

次郎吉《じろきち》が運転《うんてん》する例《れい》のバイクが、風《かぜ》を切《き》って土手沿《どてぞ》いの道路《どうろ》を走《はし》っていく。サイドカーの座席《ざせき》の上《うえ》に置《お》かれた「大海の奇跡《ブルー・ワンダー》」は、風《かぜ》よけの布《ぬの》で覆《おお》われていた。

「フッ…」

ふと、次郎吉《じろきち》が笑《え》みをもらした。笑《わら》い声《ごえ》は、しだいに大《おお》きくなっていく。

「フフフ…ハッハッハッハ!!」

「何《なに》がおかしいの？　怪盗《かいとう》キッドさん？」

次郎吉《じろきち》の高笑《たかわら》いに水《みず》を差《さ》したのは、コナンの声《こえ》だった。

次郎吉《じろきち》が、はじかれたようにサイドカーの方《ほう》を見《み》る。そこには、「大海の奇跡《ブルー・ワンダー》」を膝《ひざ》の上《うえ》に抱《かか》えた江戸川《えどがわ》コナンの姿《すがた》があった。どうやらコナンは、あらかじめ風《かぜ》よけの布《ぬの》の下《した》に

忍《しの》びこんでいたらしい。

「な、何《なに》をたわけた事《こと》を…儂《わし》が笑《わら》ったのはキッドからその宝石《ほうせき》を守《まも》り通《とお》せたからで…」

取《と》りつくろうような次郎吉《じろきち》の言《い》い訳《わけ》を、コナンは「バーーロ！」と一蹴《いっしゅう》した。

「オメーが今日《きょう》、博物館《はくぶつかん》にこのハーレーで乗《の》り付《つ》けた時点《じてん》で見抜《みぬ》いてたよ…今《いま》もそうだが、あの時《とき》オメーはゴーグルを付《つ》けていなかった。コンタクト使用者《しようしゃ》がゴーグル無《な》しでバイクに乗《の》るのはかなり辛《つら》い。風《かぜ》が瞳《ひとみ》に当《あ》たって痛《いた》くて涙《なみだ》が溢《あふ》れ…たとえ、風《かぜ》よけがついても、とても乗《の》っていられないらしいからな…」

次郎吉《じろきち》とコナンの視線《しせん》が交錯《こうさく》する。

コナンは、腕組《うでぐ》みをすると、自信満々《じしんまんまん》に続《つづ》けた。

「まあ、大金持《おおがねも》ちのくせに、ボディーガードもつけずにこんな派手《はで》なバイクで駆《か》け回《まわ》ってるジイさんだ…どこかで眠《ねむ》らせてスリ替《か》わる機会《チャンス》はいくらでもあったんだろーけど…。ちなみに、このサイドカーに乗《の》ってたルパンって犬《いぬ》は、潮留公園《しおとめこうえん》の木陰《こかげ》に連《つ》れてったよ…。多分《たぶん》まだオメーが嗅《か》がせた睡眠薬《すいみんやく》のせいで寝《ね》てるんじゃねーか？」

「アッアッアッ！」

次郎吉《じろきち》が、いつもの独特《どくとく》な高笑《たかわら》いをあげた。

「儂《わし》がキッドなわけあるまい!! 現《げん》に儂《わし》はさっきキッドが現《あらわ》れた時《とき》にボウズのそばにいたじゃないか!! 昨夜《ゆうべ》も彼奴《きゃつ》が見《み》せた中空《ちゅうくう》を歩《ある》くというあの奇跡《きせき》の瞬間《しゅんかん》にな!!」

「あんなの奇跡《きせき》でもなんでもねーよ! 手品《てじな》の助手《じょしゅ》がいれば容易《ようい》にできる単純《たんじゅん》なトリックだ…鈴木財閥《すずきざいばつ》の精鋭部隊《せいえいぶたい》っていったって、警察《けいさつ》や軍隊《ぐんたい》じゃない! 臨時《りんじ》に雇《やと》われた熟練者《プロフェッショナル》の中《なか》に手下《てした》を紛《まぎ》れ込《こ》ませるのはそう難《むずか》しくはねぇだろーからな…」

次郎吉《じろきち》が用意《ようい》した精鋭部隊《せいえいぶたい》の中《なか》には、キッドの手下《てした》が紛《まぎ》れ込《こ》んでいた。

今日《きょう》、中森警部《なかもりけいぶ》に知《し》らされるまで、コナンはキッドに協力者《きょうりょくしゃ》がいることを知《し》らなかった。だから、昨日《きのう》の時点《じてん》では、キッドの空中歩行《くうちゅうほこう》トリックのカラクリにたどりつくことができなかったのだ。

「確《たし》かにオメーが昨夜《ゆうべ》、ビルの間《あいだ》の空中《くうちゅう》に突然姿《とつぜんすがた》を現《あらわ》し、ヘリが頭上《ずじょう》に来《く》ることによって上《うえ》から何《なに》かで吊《つ》ってるんじゃないかという疑《うたが》いを消《け》し、その後《あと》ビルの屋上《おくじょう》に駆《か》け上《あ》がったオレや警察《けいさつ》に、ビルの間《あいだ》にワイヤーなんか渡《わた》してないことを確認《かくにん》させれば、本当《ほんとう》に空中《くうちゅう》に浮《う》いてるように見《み》えるが、あの頭上《ずじょう》のヘリの操縦者《そうじゅうしゃ》がオメーの手下《てした》なら奇跡《きせき》は奇術《きじゅつ》になる!」

コナンは、確信《かくしん》に満《み》ちた表情《ひょうじょう》で、推理《すいり》を続《つづ》けた。

「まずオメーは、手下《てした》のヘリで例《れい》の二《ふた》つのビルの上空《じょうくう》に移動《いどう》し、ヘリの上《うえ》からワイヤーの先《さき》を片方《かたほう》のビルの屋上《おくじょう》に引《ひ》っ掛《か》け、ヘリからハンググライダーでもう片方《かたほう》のビルに着地《ちゃくち》し、屋上《おくじょう》にワイヤーを引《ひ》っ掛《か》けて二《ふた》つのビルにワイヤーを渡《わた》した…。そして体《からだ》に付《つ》けた滑車《かっしゃ》でワイヤーの真《ま》ん中《なか》に移動《いどう》し、まとっていた黒《くろ》いマントを煙幕《えんまく》と共《とも》に脱《ぬ》ぎ捨《す》てれば怪盗《かいとう》キッドの登場《とうじょう》だ!!」

コナンの強気《つよき》なまなざしを受《う》け止《と》めて、次郎吉《じろきち》の顔《かお》が徐々《じょじょ》に真顔《まがお》になっていく。

「続《つづ》いてすぐに手下《てした》のヘリを頭上《ずじょう》に向《む》かわせ、ヘリから飛《と》び立《た》つ前《まえ》にヘリと自分《じぶん》をつないでおいた釣《つ》り糸《いと》のような細《ほそ》いワイヤーをピンと張《は》るまで巻《ま》き上《あ》げさせる！　その後《あと》で体《からだ》から滑車《かっしゃ》を外《はず》し、ビルに渡《わた》したワイヤーを素早《すばや》くヘリに回収《かいしゅう》させれば…上《うえ》からも横《よこ》からも吊《つ》られていない事《こと》になり空中浮遊《くうちゅうふゆう》が完成《かんせい》する！」

黒《くろ》いマントを羽織《はお》っていたとはいえ、大勢《おおぜい》の人間《にんげん》の頭上《ずじょう》で誰《だれ》にも気《き》づかれずにこのトリックを実行《じっこう》してみせたのはまさに見事《みごと》としか言《い》いようがない。あの空中歩行《くうちゅうほこう》は、キッドの優《すぐ》れたテクニックと身体能力《しんたいのうりょく》、そしてなにより人並外《ひとなみはず》れた度胸《どきょう》があってこそ実現《じつげん》した至高《しこう》の奇術《マジック》だったのだ。

「後《あと》はヘリが前進《ぜんしん》するのに合《あ》わせて、オメーが歩《ある》く振《ふ》りをするだけ。ポケットに忍《しの》ばせたテープレコーダーからコツコツと足音《あしおと》を出《だ》しながら、小《ちい》さく揺《ゆ》れたら小股《こまた》で、大《おお》きく揺《ゆ》れたら大股《おおまた》で吊《つ》られている事《こと》を気《き》づかせないような絶妙《ぜつみょう》なボディーパフォーマンスでな！　そして、ある程度歩《ていどある》いた後《あと》、煙幕《えんまく》と共《とも》に白《しろ》い衣装《いしょう》を脱《ぬ》ぎ捨《す》て、サーチライトをずらしてヘリの中《なか》にオメーを引《ひ》き上《あ》げれば、空中《くうちゅう》で消《き》えたように見《み》えるって寸法《すんぽう》だ！　まあ、今夜《こんや》のキッドは警察《けいさつ》の目《め》を引《ひ》き付《つ》けるただの足《あし》が動《うご》く人形《にんぎょう》…こいつも煙幕《えんまく》でヘリに出《だ》し入《い》れしたんだろーが、ただ吊《つ》ってるだけだからバレバレだったよ…」

「じゃが、ボウズもキッドの側《そば》のビルに登《のぼ》ったんじゃろ？」

コナンの推理《すいり》を黙《だま》って聞《き》いていた次郎吉《じろきち》が、静《しず》かに反論《はんろん》した。

「その時《とき》にヘリから吊《つ》るされてたのなら、いくら細《ほそ》い糸《いと》でも見《み》えると思《おも》うが…」

「先入観《せんにゅうかん》と風《かぜ》だよ！　情《なさ》けねー話《はなし》だぜ…オメーの頭上《ずじょう》にヘリが来《き》た時点《じてん》で上《うえ》から吊《つ》るされてないと思《おも》い込《こ》んじまった上《うえ》に、屋上《おくじょう》にワイヤーがない事《こと》に動揺《どうよう》し、ヘリの風《かぜ》で見《み》にくかった事《こと》も影響《えいきょう》して、その糸《いと》を発見《はっけん》できなかったんだからな…。だが、その爪痕《つめあと》は二《ふた》つのビルの屋上《おくじょう》に残《のこ》ってたよ…ヘリにワイヤーを回収《かいしゅう》した時《とき》に先《さき》に付《つ》けてたフックが引《ひ》っ掛《か》かった傷《きず》がな…」

コナンが屋上《おくじょう》で発見《はっけん》した真新《まあたら》しい傷跡《きずあと》は、やはりキッドのトリックの痕跡《こんせき》だったのだ。

「しかしのォ…ボウズは昨夜《ゆうべ》のキッドの映像《えいぞう》を何度《なんど》も観《み》たんじゃろ?」

次郎吉《じろきち》はなおも反論《はんろん》を続《つづ》けたが、その口調《くちょう》にはあきらめの色《いろ》が混《ま》じっていた。

「解像度《かいぞうど》にもよるけど、釣《つ》り糸《いと》ぐらい細《ほそ》けりゃ近《ちか》くで肉眼《にくがん》で見《み》なきゃ大概《たいがい》のモニターじゃほとんど見《み》えねぇよ。唯一映《ゆいいつうつ》っているとしたら、糸《いと》が手前《てまえ》に来《く》るキッドの俯瞰《ふかん》の映像《えいぞう》だが、それが撮《と》れるのは手下《てした》が乗《の》ってる7番機《ばんき》…。あの映像《えいぞう》が、前《まえ》に博物館《はくぶつかん》の特番《とくばん》で使《つか》われていた空撮《くうさつ》にキッドを合成《ごうせい》したものを7番機《ばんき》からの映像《えいぞう》として流《なが》していたんなら、糸《いと》が映《うつ》っているわけがねぇ…。だから雨《あめ》が降《ふ》って来《き》た時《とき》、オメーの手下《てした》は映像《えいぞう》を流《なが》すのを止《や》めたんだろ? あの特番《とくばん》の空撮《くうさつ》には傘《かさ》を差《さ》す人達《ひとたち》は映《うつ》ってねぇからな!」

推理《すいり》は、いよいよ大詰《おおづ》めにさしかかっている。

コナンは、小《ちい》さく笑《え》みを浮《う》かべて次郎吉《じろきち》を見《み》つめた。

「そう…昨夜《ゆうべ》の派手《はで》なデモンストレーションも…空《そら》から来《く》ると見《み》せ掛《か》け、地上《ちじょう》の検問《けんもん》を緩《ゆる》めて、鈴木次郎吉《すずきじろきち》に変装《へんそう》してノーチェックで来《く》るための伏線《ふくせん》だったんだろーが…。迂闊《うかつ》だったな…ゴーグルを付《つ》けずにハーレーで乗《の》りつけるオメーがTV《テレビ》画面《がめん》にバッチリ映《うつ》ってたぜ?」

「いやいや、ゴーグルを付《つ》け忘《わす》れたのではなく…付《つ》けられなかったんじゃ…」

そう言《い》うと、次郎吉《じろきち》は、自分《じぶん》の顔《かお》に手《て》をかけた。

「変装《へんそう》が崩《くず》れちまうからな！」

ビリッ、と次郎吉《じろきち》の顔《かお》のマスクを引《ひ》きはがす。

マスクの下《した》から現《あらわ》れたキッドの素顔《すがお》は、変装《へんそう》で隠《かく》していたのがもったいないほどのイケメンだった。くっきりとした目鼻立《めはなだ》ちは工藤新一《くどうしんいち》に瓜二《うりふた》つだが、どことなく、新一《しんいち》よりも強気《つよき》で少年《しょうねん》らしい雰囲気《ふんいき》がある。

「いいのか？　７番機《ばんき》に乗《の》った手下《てした》…今頃警察《いまごろけいさつ》のヘリに囲《かこ》まれてるかもしれねーぜ？」

腕時計型麻酔銃《うでどけいがたますいじゅう》を構《かま》えながら、コナンが聞《き》いた。

「大丈夫《だいじょうぶ》…警察《けいさつ》の奴《やつ》らパニクってるだろーから…大量《たいりょう》に貼《は》られた７番《ばん》のステッカーに惑《まど》わされてな！」

「大量《たいりょう》に？」

聞《き》き返《かえ》したコナンは、すぐに察《さっ》して「なるほど…」とつぶやいた。

「さては７番《ばん》のステッカーの上《うえ》に、もう一枚本当《いちまいほんとう》の番号《ばんごう》のステッカーを貼《は》ってたな…飛《と》び立《た》つと風《かぜ》ではがれるようにかるく糊付《のりづ》けして…」

「ああ…おかげでヘリの操縦者《パイロット》は誰《だれ》も気《き》づかずに乗《の》り込《こ》んでくれたよ…。後《あと》でオレの仲間《なかま》のへりとして追《お》い回《まわ》されるとも知《し》らずにな！　そして混乱《こんらん》に乗《じょう》じて仲間《なかま》はトンズラ…まさにブルー・ワンダー！　大空《おおぞら》の奇跡《きせき》の脱出《だっしゅつ》ってわけだ!!」

「大空《おおぞら》？　ブルー・ワンダーのブルーは大海《たいかい》のブルーだぜ？」

会話《かいわ》を続《つづ》けながらも、コナンの構《かま》えた腕時計型麻酔銃《うでどけいがたますいじゅう》の照準《しょうじゅん》はしっかりとキッドを狙《ねら》っている。しかし、キッドは動揺《どうよう》を見《み》せない。

「同《おな》じじゃねーか！　海《うみ》のブルーは空《そら》のブルーが写《うつ》ってんだろ？　探偵《たんてい》や怪盗《かいとう》と一緒《いっしょ》さ…天《てん》と地《ち》に別《わか》れているようで、元《もと》を正《ただ》せば人《ひと》がしまい込《こ》んでる何《なに》かを好奇心《こうきしん》という鍵《かぎ》を使《つか》ってこじ開《あ》ける無礼者同士《ぶれいものどうし》…」

「バーロ…空《そら》と海《うみ》の色《いろ》が青《あお》いのは、色《いろ》の散乱《さんらん》と反射《はんしゃ》…全《まった》く性質《せいしつ》が異《こと》なる理由《りゆう》によるものだ…一緒《いっしょ》にするなよ！　その証拠《しょうこ》に水《みず》たまりは青《あお》くねえだろーが！」

コナンから正論《せいろん》を言《い》われ、「お前《まえ》、夢《ゆめ》ねーな…」とキッドはシラけた表情《ひょうじょう》を浮《う》かべた。

「夢《ゆめ》ばっか語《かた》ってちゃ、真実《しんじつ》は見抜《みぬ》けないんでね…」

「それより本当《ほんとう》にその麻酔銃《ますいじゅう》でオレを捕《つか》まえる気《き》か？　このスピードでオレが寝《ね》ちまったら大《だい》クラッシュだぜ？」

キッドが脅《おど》すように言《い》うが、コナンは余裕《よゆう》の表情《ひょうじょう》を変《か》えなかった。

「大丈夫《だいじょうぶ》、このバイクが止《と》まるまで撃《う》たねーし、オメーの身柄《みがら》はオレの連絡《れんらく》でこっちへ向《む》かってる中森警部《なかもりけいぶ》が…」

「フン！　誰《だれ》が止《と》めるか！　それに次郎吉《じろきち》のジイさんが自慢《じまん》してたろ？」

「ん？」

「このハーレーにはスピードアップの細工《さいく》が施《ほどこ》してあるってな！」

キッドがニヤリと笑《わら》う。

次《つぎ》の瞬間《しゅんかん》、ガコッと音《おと》がして、コナンが乗《の》っていたサイドカーがバイクから切《き》り離《はな》された。

「え？　おわっ」

サイドカーには、左側《ひだりがわ》に一《ひと》つしかタイヤがない。そのため、突然《とつぜん》バイクから切《き》り離《はな》されて、その場《ば》でくるくるとスピンし始《はじ》めてしまった。

「わわっ」

コナンは振《ふ》り落《お》とされそうになって、必死《ひっし》に座席《ざせき》にしがみついた。

キッドはキッとバイクを停《と》めると、勝《か》ち誇《ほこ》って振《ふ》り返《かえ》り、捨《す》てゼリフを吐《は》いた。

「じゃあな名探偵《めいたんてい》！　その宝石《ほうせき》は預《あず》けたぜ！　結局《けっきょく》、目当《めあ》ての宝石《ほうせき》じゃなかったし、今回《こんかい》は売《う》られたケンカを買《か》っただけだからよ！」

「ヤロォ!!」

コナンはとっさに体重《たいじゅう》を右《みぎ》にかけ、サイドカーの車体《しゃたい》を傾《かたむ》けて地面《じめん》にこすらせた。すると、車体《しゃたい》と地面《じめん》が触《ふ》れたところから、ボッと炎《ほのお》が上《あ》がった。

「え？」

キッドはぎょっとして、バイクを確認《かくにん》した。よく見《み》れば、燃料《ねんりょう》タンクに穴《あな》があいている。そして、そこからこぼれたガソリンが、細長《ほそなが》い筋《すじ》を作《つく》って道路《どうろ》に垂《た》れていた。

――大丈夫《だいじょうぶ》、このバイクが止《と》まるまで撃《う》たないし…。

コナンの言葉《ことば》が脳裏《のうり》によみがえる。

(あの野郎《やろう》、タンクに穴《あな》を…)

コナンは、バイクを停車《ていしゃ》させるため、燃料《ねんりょう》タンクに穴《あな》をあけていた。そして、スピンするサイドカーの摩擦《まさつ》を利用《りよう》して、このガソリンに火《ひ》をつけたのだった。

炎《ほのお》はガソリンを伝《つた》ってボボボ……と燃《も》え広《ひろ》がり、キッドの乗《の》っているバイクに向《む》かって迫《せま》ってくる。

「うわぁあぁ！」

キッドは、アクセルをふかして逃《に》げようとした。しかし炎《ほのお》はすごい勢《いきお》いで迫《せま》ってくる。

そして――

ボン！

大《おお》きな音《おと》を立《た》てて、バイクは炎上《えんじょう》してしまった。炎《ほのお》と黒煙《こくえん》を上《あ》げながら、バイクは道路《どうろ》の横《よこ》の土手《どて》を滑《すべ》り落《お》ちていく。

コナンはあわてて燃《も》えさかるバイクに駆《か》け寄《よ》ったが、すでにキッドは脱出《だっしゅつ》したあとだ。

「くそ！」

コナンは悔《くや》しげに、白《しろ》いハンググライダーが、川《かわ》の向《む》こう側《がわ》へ遠《とお》ざかっていくのを見送《みおく》った。

なんとか「大海の奇跡《ブルー・ワンダー》」を取《と》り返《かえ》すことはできたものの、肝心《かんじん》のキッドには逃《に》げられてしまったようだ。

その時《とき》、ファンファン……と、警察《けいさつ》のサイレンが近《ちか》づいてきた。

ようやく、中森警部《なかもりけいぶ》たちが駆《か》けつけたようだ。パトカーの手前《てまえ》には、小五郎《こごろう》の車《くるま》が走《はし》っている。

「コナン君《くん》〰〰〰！」

小五郎《こごろう》の車《くるま》の助手席《じょしゅせき》から、蘭《らん》が身《み》を乗《の》り出《だ》してコナンを呼《よ》んだ。バイクの炎上《えんじょう》を見《み》て、コナンにケガがないかと心配《しんぱい》しているらしい。

そんな蘭《らん》の表情《ひょうじょう》を見《み》て、キッドに言《い》われた「お前《まえ》、夢《ゆめ》ねぇな」という言葉《ことば》がコナンの頭《あたま》をよぎった。

(バーロ…オレだって…)

「もォ〜〜心配《しんぱい》したんだよ?」

蘭《らん》は車《くるま》から降《お》りると、コナンの顔《かお》をのぞきこんだ。顔《かお》についた汚《よご》れをハンカチで優《やさ》しくぬぐわれて、思《おも》わず顔《かお》が赤《あか》くなる。

(オレにだって…夢《ゆめ》ぐらい…)

と、コナンは心《こころ》の中《なか》で、控《ひか》えめにキッドに言《い》い返《かえ》した。工藤新一《くどうしんいち》にとって、「夢《ゆめ》」という言葉《ことば》は、蘭《らん》の存在《そんざい》そのものなのだ。

怪盗《かいとう》キッドは今頃《いまごろ》とっくに、ハンググライダーで遠《とお》くに逃《に》げているのだろう——コナンはそう考《かんが》えていたが、実《じつ》はキッドはまだ近《ちか》くにいた。炎上《えんじょう》したバイクからは間一髪《かんいっぱつ》で逃《のが》れたものの、ハンググライダーを準備《じゅんび》する時間《じかん》はなく、土手《どて》に落《お》ちていた板切《いたき》れの影《かげ》にこっそりと隠《かく》れてやりすごしていたのだ。とっさに無人《むじん》のハンググライダーを飛《と》ばして、余裕《よゆう》で逃《に》げ去《さ》ったように見《み》せかけたのはフェイクだった。

ケホ、と小《ちい》さな咳《せき》を一《ひと》つして、キッドは誰《だれ》にも見《み》られることなく板切《いたき》れの下《した》からはいだしていた。


事件《じけん》から一夜明《いちやあ》け——

園子《そのこ》からの電話《でんわ》を受《う》けた蘭《らん》は、とまどっていた。

「え？　次郎吉《じろきち》おじさん、今度《こんど》はコナン君《くん》に怒《おこ》ってるの？」

「そうなのよ〜〜〜」

無事《ぶじ》にキッドから「大海の奇跡《ブルー・ワンダー》」を取《と》り返《かえ》して、次郎吉《じろきち》はさぞかし上機嫌《じょうきげん》だろうと思《おも》いきや、そうではないらしい。

「どーして？　宝石守《ほうせきまも》ったのはコナン君《くん》じゃない！」

蘭《らん》と園子《そのこ》の会話《かいわ》を聞《き》きながら、小五郎《こごろう》は新聞《しんぶん》を広《ひろ》げて
「原因《げんいん》はこれだな……」

とつぶやいた。

一面《いちめん》に大《おお》きく印字《いんじ》されたのは、『またまたお手柄小学生《てがらしょうがくせい》!!』の文字《もじ》。見事《みごと》キッドから宝石《ほうせき》を取《と》り返《かえ》した江戸川《えどがわ》コナンの顔写真《かおじゃしん》が大《おお》きく掲載《けいさい》され、『キッドキラー!?』などと評《ひょう》されている。コナンの隣《となり》には、すっかり上機嫌《じょうきげん》の中森警部《なかもりけいぶ》も写《うつ》っていた。

「おのれ…小《こ》わっぱの分際《ぶんざい》で儂《わし》の一面《いちめん》を……」

鈴木邸《すずきてい》では、次郎吉《じろきち》が、新聞《しんぶん》を握《にぎ》りしめた手《て》をわななかせていた。

怪《かい》盗《とう》キッドの瞬《しゅん》間《かん》移《い》動《どう》魔《ま》術《じゅつ》

DETECTIVE CONAN

KID THE PHANTOM THIEF SELECTION

毛利蘭《もうりらん》と鈴木園子《すずきそのこ》、そして江戸川《えどがわ》コナンは、夕暮《ゆうぐ》れの街《まち》を歩《ある》いていた。

蘭《らん》が次郎吉《じろきち》の近況《きんきょう》を聞《き》くと、園子《そのこ》は急《きゅう》に顔《かお》を曇《くも》らせた。園子《そのこ》によれば、次郎吉《じろきち》はここのところ、ずっとふさぎ込《こ》んでいるらしい。

「え？　具合《ぐあい》が悪《わる》いの？　あの次郎吉《じろきち》おじさんが⁉」

蘭《らん》が驚《おどろ》いて聞《き》くと、園子《そのこ》は「そうなのよ！」と深刻《しんこく》そうにうなずいた。

「殺《ころ》しても死《し》にそうになかったのに、最近《さいきん》は食事《しょくじ》もノドを通《とお》らないらしいよ‼」

「何《なに》か大変《たいへん》な病気《びょうき》なの？」

「病気《びょうき》っちゃー病気《びょうき》かもね…心《ハート》の…」

園子《そのこ》の意味深《いみしん》な言《い》い方《かた》に、蘭《らん》はとまどって聞《き》き返《かえ》した。

「ハ、心《ハート》の？」

「ええ、毎晩《まいばん》うなされて汗《あせ》ビッショリで跳《は》ね起《お》きるってさ！」

そう言《い》うと、園子《そのこ》は人差《ひとさ》し指《ゆび》をピッとたて、

「夢《ゆめ》の中《なか》の彼《かれ》の笑顔《えがお》で♡」

と、つけ加《くわ》えた。

「彼《かれ》って…」

「彼《かれ》よ彼《かれ》！」

二人《ふたり》の会話《かいわ》を聞《き》きながら、コナンは、夕暮《ゆうぐ》れの空《そら》をちらりと見上《みあ》げた。

（フン…どーせ神出鬼没《しんしゅつきぼつ》で大胆不敵《だいたんふてき》な大泥棒《おおどろぼう》…あのキザな悪党《あくとう》の事《こと》だろ？）

ニヤリといたずらっぽく笑《わら》うキッドの顔《かお》が、目《め》の前《まえ》に浮《う》かぶようだった。

鈴木次郎吉《すずきじろきち》は、荒《あ》れていた。

部下《ぶか》たちを集《あつ》めて、キッドを捕《つか》まえる名案《めいあん》を募《つの》ったのだが、使《つか》えそうなアイディアが何《なに》ひとつなかったのだ。

「ええい！　ダメじゃダメじゃ!!　こんな計画《けいかく》では話《はなし》にならぬわ!!　相手《あいて》は月下《げっか》の奇術師《きじゅつし》の異名《いみょう》を取《と》る大怪盗《だいかいとう》じゃぞ!?　このようなぬるい策《さく》が通《つう》じるとでも思《おも》ったか!!」

次郎吉《じろきち》は、部下《ぶか》たちを一息《ひといき》に叱《しか》り飛《と》ばすと、バンと机《つくえ》をたたいた。興奮《こうふん》のあまりすっかり息《いき》があがってしまっている。

「そ、相談役《そうだんやく》…少々休《しょうしょうやす》まれてはいかがですか？　あまり根《こん》を詰《つ》めるとお体《からだ》に…」

見《み》かねた部下《ぶか》の一人《ひとり》が、やんわりと次郎吉《じろきち》を気遣《きづか》う。

しかし次郎吉《じろきち》は、余計《よけい》なお世話《せわ》だとばかりに、部下《ぶか》の男《おとこ》をにらみつけた。

「ホゥ…ならば儂《わし》が寝《ね》ておる間《あいだ》に汝《うぬ》が彼奴《きゃっ》を捕《つか》まえる妙案《みょうあん》をみつけてくれると申《もう》すか？」

息《いき》を荒《あら》くする次郎吉《じろきち》に詰《つ》め寄《よ》られ、部下《ぶか》の男《おとこ》が「あ、いや…」と口《くち》ごもる。

次郎吉《じろきち》は、背後《はいご》にある棚《たな》の方《ほう》を振《ふ》り返《かえ》りながら、なおも言《い》いつのった。

「守《まも》り通《とお》す良策《りょうさく》を儂《わし》に授《さず》けてくれるとでも言《い》うのか？　今回《こんかい》、儂《わし》が餌《えさ》として手《て》に入《い》れた…伝説《でんせつ》のミュール…「紫紅の爪《パープル・ネイル》」を、怪盗《かいとう》キッドの魔《ま》の手《て》から!!」

次郎吉《じろきち》が視線《しせん》を投《な》げた棚《たな》の上《うえ》には、内側《うちがわ》が布張《ぬのば》りになったトランクケースが置《お》かれている。その中《なか》には、一足《いっそく》のミュール――「紫紅の爪《パープル・ネイル》」が、そろえて置《お》かれていた。

ミュールとは、女性用《じょせいよう》の、かかとに留《と》め具《ぐ》のないサンダルのこと。「紫紅の爪《パープル・ネイル》」は、甲《こう》の部分《ぶぶん》に大《おお》きな宝石《ほうせき》の飾《かざ》りがついた、赤《あか》みがかった紫色《むらさきいろ》のミュールだ。

部下《ぶか》たちは、その美《うつく》しさに色《いろ》めき立《た》った。

「おお！　これが神聖《しんせい》ローマ帝国《ていこく》の君主《くんしゅ》マリア・テレジアも目《め》を奪《うば》われたと伝《つた》わる、幻《まぼろし》の…」

「爪先《つまさき》に光《ひか》るのは100カラットのアメジストでございますね!!」

口々《くちぐち》にほめられ、次郎吉《じろきち》はつまらなそうに「フン…」と鼻《はな》を鳴《な》らした。

「いわれや価値《かち》なぞどーでもよいわ！　要《よう》は彼奴《きゃつ》の気《き》を惹《ひ》ければそれでいい…彼奴《きゃつ》は大粒《おおつぶ》の宝石《ほうせき》には目《め》がないようじゃからのう…。じゃが、この餌《えさ》で彼奴《きゃつ》を釣《つ》っても捕《つか》まえる術《すべ》がまだない…彼奴《きゃつ》を凌駕《りょうが》する程《ほど》の手立《てだ》てが…」

「あのー…お言葉《ことば》ですが…」

部下《ぶか》の一人《ひとり》が、キッドの捕獲案《ほかくあん》が書《か》かれた紙《かみ》をパラパラとめくりながら、口《くち》を開《ひら》く。

「この『巨大《きょだい》な氷《こおり》の真《ま》ん中《なか》にミュールを入《い》れる』という作戦《さくせん》なんかいいと思《おも》いますけど…さすがにキッドも容易《ようい》には持《も》ち去《さ》れないでしょうし…」

「なら聞《き》くが、汝《うぬ》はそれをどこに展示《てんじ》する気《き》じゃ？」

「そ、それはもちろんその氷《こおり》を入《い》れられる冷凍室《れいとうしつ》とか…」

「たわけ!!」

次郎吉《じろきち》は怒《いか》りの形相《ぎょうそう》で、部下《ぶか》の上着《うわぎ》の胸《むな》もとをぐいっと引《ひ》っぱった。

「それでは世間《せけん》の者共《ものども》に生《なま》で見《み》せられぬではないか!!　儂《わし》が彼奴《きゃつ》を掌握《しょうあく》する様《さま》がなぁ!!　それに氷漬《こおりづ》けなんぞにしたら伝説《でんせつ》のミュールが台無《だいな》しじゃ馬鹿者《ばかもん》が！」

「では、この案《あん》はいかがでしょうか？」

別《べつ》の男《おとこ》が、気《き》を取《と》り直《なお》して提案《ていあん》した。

「『東都《とうと》タワーのてっぺんにミュールを展示《てんじ》し、周《まわ》りを我《わ》が鈴木財閥《すずきざいばつ》のヘリで固《かた》める』！

これなら一応集《いちおうあつ》まった観客《かんきゃく》にもその様子《ようす》が見《み》えるかと…」

「フン、忘《わす》れたか！　彼奴《きゃつ》にはマントに仕込《しこ》んだあの白《しろ》い翼《つばさ》、ハンググライダーを自在《じざい》に操《あやつ》る能力《のうりょく》がある…奴《やつ》の庭《にわ》である空《そら》では儂《わし》らに勝《か》ち目《め》は薄《うす》い…。どーせまた獲物《えもの》を奪《うば》われ、月《つき》を背《せ》に飛《と》び去《さ》る姿《すがた》を見送《みおく》る羽目《はめ》に…」

次郎吉《じろきち》はそこでふいに言葉《ことば》を切《き》り「ん？」と首《くび》をかしげた。

「待《ま》て待《ま》て、そもそもなぜ彼奴《きゃつ》はいつも月《つき》を背《せ》に…」

「そりゃー夜《よる》だからでしょう！　泥棒《どろぼう》は夜《よる》の仕事《しごと》ですから…」

「いや、そうではなく何故彼奴《なにゆえきゃつ》の背《せ》に丁度《ちょうど》うまい具合《ぐあい》に月《つき》があるかと聞《き》いておるのじゃ…」

次郎吉《じろきち》は難《むずか》しい顔《かお》でつぶやくと、あごに手《て》を当《あ》てて考《かんが》え込《こ》んだ。

「そうなるように彼《かれ》が計算《けいさん》しているのでは？　その方《ほう》がスタイリッシュですし。それに彼《かれ》の獲物《えもの》はたいていビルや博物館《はくぶつかん》の最上階《さいじょうかい》…月《つき》ぐらいありますよ！　キッドには高《たか》い所《ところ》が似《に》合《あ》いますから…」

部下《ぶか》の男《おとこ》の言葉《ことば》に、次郎吉《じろきち》がはっと目《め》を見開《みひら》いた。

どうやらキッド捕獲《ほかく》の妙案《みょうあん》が浮《う》かんだらしい。

「そ、そうか…その手《て》があったか!!!」

次郎吉《じろきち》は、手《て》のひらをぎゅっと握《にぎ》りしめると、目《め》を輝《かがや》かせて絶叫《ぜっきょう》した。


次郎吉《じろきち》が選《えら》んだ、「紫紅の爪《パープル・ネイル》」の展示場所《てんじばしょ》。

それは、人《ひと》の行《い》き交《か》う錦座《きんざ》の、中心地《ちゅうしんち》にある交差点《こうさてん》だった。

(まさか錦座《きんざ》4丁目《ちょうめ》の歩行者天国《ほこうしゃてんごく》のド真《ま》ん中《なか》にお宝《たから》を展示《てんじ》するとはな…)

コナンはすっかりあきれていた。次郎吉《じろきち》が宝石《ほうせき》を錦座《きんざ》に展示《てんじ》したと聞《き》いて、小五郎《こごろう》と蘭《らん》、園子《そのこ》とともに見物《けんぶつ》にやってきたのだが、まさか堂々《どうどう》と往来《おうらい》に展示《てんじ》されているとは思《おも》わなかった。

交差点《こうさてん》の中央《ちゅうおう》には、成人男性《せいじんだんせい》の肩《かた》ほどの高《たか》さの台《だい》が用意《ようい》されている。そして、「紫紅の爪《パープル・ネイル》」は、その台《だい》の上《うえ》にむき出《だ》しの状態《じょうたい》で置《お》かれていた。警備《けいび》にあたっているのは、黒《くろ》いスーツ姿《すがた》の四人《よにん》の屈強《くっきょう》な男性《だんせい》のみ。台《だい》に背《せ》を向《む》ける形《かたち》で、「紫紅の爪《パープル・ネイル》」をぐるりと取《と》り囲《かこ》んでいた。空《そら》にはヘリコプターが飛《と》んでいる。

「あれじゃーキッドに盗《と》ってくれって言《い》ってるようなモンじゃねぇか！」

小五郎《こごろう》は、あまりに無防備《むぼうび》な展示方法《てんじほうほう》に、すっかりあきれていた。

「だよねぇ…大丈夫《だいじょうぶ》なの園子《そのこ》？」

蘭《らん》に聞《き》かれ、園子《そのこ》は「うん！」とあっさりうなずいた。

「わたしとしてはキッド様《さま》が来《き》てくれて一目会《ひとめあ》えたら、それでバッチOK《オーケー》よ！　まあ、次郎吉《じろきち》おじ様《さま》には何《なに》か考《かんが》えがあるみたいだけどね！」

そう言《い》って、園子《そのこ》は次郎吉《じろきち》に視線《しせん》を向《む》けた。

次郎吉《じろきち》は、警視庁刑事部《けいしちょうけいじぶ》の中森銀三警部《なかもりぎんぞうけいぶ》から「おいあんた!!　どーいうつもりだ!?」と、詰《つ》め寄《よ》られている。

「ん？　何《なに》か問題《もんだい》でもあるのか？　中森警部《なかもりけいぶ》…」

「問題《もんだい》だらけだよ！　あんな警備員四人《けいびいんよにん》しか守《まも》ってないお宝《たから》を道《みち》の真《ま》ん中《なか》にさらしやがって！　あんなんじゃアッという間《ま》にキッドに盗《と》られて…」

長年《ながねん》キッドを追《お》っている中森警部《なかもりけいぶ》にしてみれば、宝石《ほうせき》はもっと厳重《げんじゅう》な警備《けいび》のもとに置《お》きたいのだろう。

「では、警部《けいぶ》ならいかがする？」

次郎吉《じろきち》が聞《き》き返《かえ》す。

「そ、そりゃーもっと盗《と》りづらいビルの高《たか》い所《ところ》とかに…」

中森警部《なかもりけいぶ》の答《こた》えに、次郎吉《じろきち》はくわっと目《め》を見開《みひら》いてかみついた。

「それじゃ！　それが愚《おろ》かだったのじゃ!!　儂《わし》も汝《うぬ》ら警察《けいさつ》も、知《し》らず知《し》らずの内《うち》に彼奴《きゃっ》に踊《おど》らされておったんじゃよ！　あの白《しろ》き翼《つばさ》を持《も》つ怪盗《かいとう》と対決《たいけつ》するには天高《てんたか》き舞台《ぶたい》の方《ほう》が見《み》栄《ば》えがするとな！　そして何度《なんど》も何度《なんど》もあの翼《つばさ》で逃《に》げられてしまう体《てい》たらく…」

「じゃあまさか地上《ちじょう》に展示《てんじ》したわけは…」

「そうじゃ！　奴《やつ》の翼《つばさ》をもぐためじゃよ！　彼奴《きゃっ》は鳥《とり》ではない！　一度《ひとたび》地上《ちじょう》に降《お》りてしまえばハンググライダーで飛《と》び立《た》つ事《こと》はできぬからのォ！」

「し、しかし飛《と》んで逃《に》げなくてもこの群衆《ぐんしゅう》の中《なか》に紛《まぎ》れ込《こ》んでしまえば…」

中森警部《なかもりけいぶ》は、集《あつ》まったキッドファンの方《ほう》を振《ふ》り返《かえ》った。

キッドファンたちはすっかり盛《も》り上《あ》がっていた。「I♡KID《アイラブキッド》」などと書《か》かれている手《て》作《づく》りの横断幕《おうだんまく》をかかげ、「キッド！　キッド！」とコールをかけ合《あ》っている。中森警部《なかもりけいぶ》は、集《あつ》まった人々《ひとびと》の中《なか》にキッドが紛《まぎ》れることを心配《しんぱい》しているのだった。

「ならば、その群衆一人一人《ぐんしゅうひとりひとり》を丹念《たんねん》に調《しら》べればよかろう！」

次郎吉《じろきち》に言《い》われ、中森警部《なかもりけいぶ》は「フン！」と不満《ふまん》げに鼻《はな》を鳴《な》らした。

「あんたの所《ところ》にキッドからの予告状《よこくじょう》が届《とど》いてりゃあ、機動隊《きどうたい》連《つ》れて通《とお》りを柵《さく》で囲《かこ》ってそうしてる所《ところ》だが、まだ来《き》てないんだろ？」

「ああ…今《いま》はまだな…じゃが前回《ぜんかい》と違《ちが》い、儂《わし》が彼奴《きゃつ》に挑戦状《ちょうせんじょう》を叩《たた》きつけたのは今朝《けさ》の朝刊《ちょうかん》！　恐《おそ》らく彼奴《きゃつ》は伸《の》るか反《そ》るかを決《き》めかねているんじゃろうが…来《く》るよ彼奴《きゃつ》は！　月下《げっか》の奇術師《きじゅつし》の名《な》に懸《か》けてのォ！」

次郎吉《じろきち》は力強《ちからづよ》く言《い》うと、空《そら》に浮《う》かぶ満月《まんげつ》を見上《みあ》げた。

「では儂《わし》はこれで…スタッフと作戦《さくせん》の最終調整《さいしゅうちょうせい》があるんでな…」

「お、おい、何《なん》なんだ作戦《さくせん》って!?」

次郎吉《じろきち》を問《と》い詰《つ》めようとして、中森警部《なかもりけいぶ》は何《なに》かにつまずき、「おわっ」と前《まえ》のめりに転《ころ》んでしまった。

「ん？　な、何《なん》だこりゃ!?」

中森警部《なかもりけいぶ》がつまずいたのは、ビニールのふくらみだった。道路《どうろ》に設置《せっち》された横幅三十《よこはばさんじっ》

cm《センチ》ほどのビニールシートの道《みち》が、どこまでも長《なが》く伸《の》びているのだ。シートの左右《さゆう》は、テープで道路《どうろ》に固定《こてい》されている。そして、シートの下《した》には、なにか細《ほそ》いロープのようなものが束《たば》ねてまとめられているようだった。

いったい、これは何《なん》なのだろう？

中森警部《なかもりけいぶ》が首《くび》をかしげると同時《どうじ》に、背後《はいご》から「あ、来《き》た！」と弾《はず》んだ声《こえ》が聞《き》こえてきた。

はっと振《ふ》り返《かえ》ると、怪盗《かいとう》キッドがハンググライダーで夜空《よぞら》を飛《と》んでいる。

「キッドよ！」

「怪盗《かいとう》キッドキター――♡」

交差点《こうさてん》は、キッドファンたちの大歓声《だいかんせい》に包《つつ》まれた。キッドをなんとか撮影《さつえい》しようと、携帯電話《けいたいでんわ》のカメラを向《む》けている人《ひと》もいる。

近《ちか》くの百貨店《ひゃっかてん》の屋上《おくじょう》には、日売《にちうり》ＴＶ《テレビ》の報道番組《ほうどうばんぐみ》の中継《ちゅうけい》スタッフが待機《たいき》していた。

「まさに大胆不敵《だいたんふてき》！　怪盗《かいとう》キッドが銀座《ぎんざ》４丁目《ちょうめ》の上空《じょうくう》に、その怪《あや》しげな白《しろ》い姿《すがた》を現《あらわ》しました！」

アナウンサーが興奮《こうふん》気味《ぎみ》に実況《じっきょう》する。

園子《そのこ》は手《て》を広《ひろ》げて「キッド様《さま》ァ〜〜〜♡　わたしはここよー♡」とキッドにアピールを

した。

「ホントに来《き》た…」

驚《おどろ》く蘭《らん》の隣《となり》で、コナンは「ん？」と首《くび》をかしげた。

（ハンググライダーの尻《しり》に…プロペラ？）

キッドがいつも使《つか》っているハンググライダーには、プロペラなどついていないはずだ。

何《なに》か仕掛《しか》けがあるのだろうか、とコナンが警戒《けいかい》していると、いきなりキッドの身体《からだ》からプシューッと煙《けむり》が噴《ふ》き出《だ》した。

（あ…）

ボン！

甲高《かんだか》い音《おと》とともに小《ちい》さな爆発《ばくはつ》が起《お》こり、キッドの身体《からだ》は煙《けむり》に包《つつ》まれて見《み》えなくなってしまった。

「ウソ…キ、キッド様《さま》は？」

「どこ？」

園子《そのこ》と蘭《らん》が、きょろきょろとあたりを見《み》まわす。

その時《とき》、人々《ひとびと》の上《うえ》で、白《しろ》いマントがはためいた。

トッ、と軽《かろ》やかな足取《あしど》りで「紫紅の爪《パープル・ネイル》」の台《だい》に飛《と》び乗《の》ったのは、消《き》えたはずの怪盗《かいとう》キッドだ。

「か、怪盗《かいとう》キッド!!」

台《だい》を取《と》り囲《かこ》んでいた四人《よにん》の警備《けいび》の男《おとこ》たちは、キッドを取《と》り押《お》さえることを忘《わす》れ、呆然《ぼうぜん》とその場《ば》に立《た》ち尽《つ》くした。

「すごーい！　あんな高《たか》い所《ところ》から飛《と》び降《お》りるなんて…」

「まるでスーパーマン…」

園子《そのこ》と蘭《らん》は、イリュージョンのようなキッドの登場《とうじょう》にすっかり魅《み》せられている。

だが、コナンには、そのトリックなどお見通《みとお》しだった。

(いや…ラジコンで飛《と》ばしていたダミーを爆発《ばくはつ》させ…それにみんなが目《め》を奪《うば》われてる隙《すき》に、群衆《ぐんしゅう》から抜《ぬ》け出《だ》して展示台《てんじだい》に忍《しの》び寄《よ》り飛《と》び乗《の》っただけさ！)

キッドファンたちが、「キッド！　キッド！」とコールをかける。交差点《こうさてん》で待機《たいき》していたアナウンサーが、キッドの前《まえ》に進《すす》み出《で》て、マイクを向《む》けた。

「か、怪盗《かいとう》キッドさん！　何《なに》か一言《ひとこと》！」

「あ、では鈴木次郎吉相談役《すずきじろきちそうだんやく》に伝《つた》えてください。今回《こんかい》は寝耳《ねみみ》に水《みず》な話《はなし》…十分《じゅうぶん》な時間《じかん》が取《と》れず、予告状《よこくじょう》を出《だ》せなかった無礼《ぶれい》をお許《ゆる》し頂《いただ》きたい…とね♡」

次郎吉《じろきち》は、キッドの様子《ようす》を、ワゴン車《しゃ》の中《なか》から確認《かくにん》していた。

「よォし今《いま》じゃ…」

キッドがインタビューに気《き》を取《と》られている今《いま》こそ好機《こうき》とばかり「張《は》れィ!!」と部下《ぶか》たちに指示《しじ》を出《だ》す。すると、先《さき》ほど中森警部《なかもりけいぶ》がつまずいたビニールシートが、むくっと盛《も》り上《あ》がった。シートの下《した》から現《あらわ》れたのは、大《おお》きな網《あみ》だ。

「え?」

「お、おい?」

「何《なに》よこれ!?」

網《あみ》は上《うえ》に向《む》かってぐんぐんと伸《の》びていき、その高《たか》さは、たちまち、百貨店《ひゃっかてん》の屋上近《おくじょうちか》くまで達《たっ》し、巨大《きょだい》な壁《かべ》のようになった。壁《かべ》は全部《ぜんぶ》で四面《よんめん》あり、交差点《こうさてん》の東西南北《とうざいなんぼく》をすべてふさいでいる。「紫紅の爪《パープル・ネイル》」は、網《あみ》の壁《かべ》に取《と》り囲《かこ》まれてしまったのだ。

「あ、網《あみ》です!! 錦座《きんざ》4丁目《ちょうめ》の交差点《こうさてん》が…巨大《きょだい》な網《あみ》で仕切《しき》られましたァ!!!」

交差点全体《こうさてんぜんたい》を網《あみ》で区切《くぎ》ってしまうとは、あまりのスケールに、アナウンサーもすっかり驚《おどろ》いているようだった。

コナンは冷静《れいせい》に、網《あみ》の壁《かべ》を見上《みあ》げた。

(高《たか》さ約《やく》20m《メートル》…気球《ききゅう》でもない限《かぎ》り、この網《あみ》を越《こ》すのは無理《むり》だ…)

「アッアッアッ!!!」

交差点《こうさてん》の包囲《ほうい》が完了《かんりょう》し、次郎吉《じろきち》がいつもの高笑《たかわら》いをあげる。

「たとえ気球《ききゅう》を使《つか》おうにも、上空《じょうくう》のヘリが邪魔《じゃま》で使《つか》えまい…無論《むろん》、群衆《ぐんしゅう》に紛《まぎ》れて逃《に》げる気《き》なら止《と》めはせん！　網《あみ》を越《こ》える際《さい》に儂《わし》のスタッフの入念《にゅうねん》なチェックが入《はい》る！　その時《とき》、ミユールを所持《しょじ》しておればアウト！　手離《てばな》していたなら犯行失敗《はんこうしっぱい》！　どのみち儂《わし》の勝《か》ちじゃあああ!!」

次郎吉《じろきち》は勝《か》ったつもりになって、すっかり勢《いきお》いづいている。

一方《いっぽう》、集《あつ》まったキッドファンたちは、青《あお》ざめていた。この高《たか》さの壁《かべ》に囲《かこ》まれては、さすがのキッドも逃《に》げきれないだろう。

「キッド様《さま》〜〜〜私《わたし》に化《ば》けて逃《に》げて〜〜〜！」

「俺《おれ》でもいいぞキッド!!」

キッドファンたちは、キッドを逃《に》がすための変装相手《へんそうあいて》として続々《ぞくぞく》と名乗《なの》りをあげ始《はじ》めた。

しかし、キッド本人《ほんにん》は、いつもと変《か》わらず落《お》ち着《つ》き払《はら》っている。

「心配《しんぱい》には及《およ》びませんよ皆《みな》さん…こうなる事《こと》は想定済《そうていず》み…」

「じゃあこの後《あと》どーするつもりで？」

アナウンサーが、キッドにマイクを向《む》ける。

キッドは「紫紅の爪《パープル・ネイル》」をジャケットの内側《うちがわ》にしまいこみながら答《こた》えた。

「そりゃーまあ…仕事《しごと》が済《す》んだので家《いえ》に帰《かえ》ろうかと…」

「ど、どうやって!?」

「テレポーテーションで…」

キッドの答《こた》えに、誰《だれ》もが息《いき》をのんだ。集《あつ》まっていたキッドファンや、蘭《らん》と園子《そのこ》、小五郎《こごろう》、そして中継《ちゅうけい》を見《み》ていた次郎吉《じろきち》までもが、「テ、テレポーテーション!?」と驚《おどろ》いている。

(瞬間移動《しゅんかんいどう》だとォ!!?)

予想外《よそうがい》のキッドの答《こた》えに、コナンはギリッと奥歯《おくば》をかみしめ、警戒《けいかい》して、キッドをにらみつけた。

困惑《こんわく》している周囲《しゅうい》の人々《ひとびと》とは対照的《たいしょうてき》に、キッドは落《お》ち着《つ》いた笑《え》みを浮《う》かべている。

「あの野郎《やろう》…またふざけた事《こと》を…」

中森警部《なかもりけいぶ》は、怒《いか》り心頭《しんとう》でキッドをにらみつけた。

テレポーテーションという聞《き》きなれない言葉《ことば》に困惑《こんわく》していたキッドファンたちだったが、徐々《じょじょ》に状況《じょうきょう》を理解《りかい》し、歓声《かんせい》をあげて盛《も》り上《あ》がり始《はじ》めた。

「しちゃうの？　テレポートしちゃうのねキッド!!」

興奮《こうふん》する園子《そのこ》に、小五郎《こごろう》が「んなわけねーだろ？」と水《みず》を差《さ》した。

「『絶対可憐《ぜったいかれん》チルドレン』の薫《かおる》ちゃんじゃあるまいし…」

「え？」

園子《そのこ》がきょとんとした顔《かお》になる。

「知《し》らねぇのかサンデーのまんが！」

あきれて言《い》う小五郎《こごろう》に、「てか、瞬間移動《しゅんかんいどう》は葵《あおい》ちゃんだし…」と蘭《らん》がすかさず指摘《してき》した。

キッドを前《まえ》にして、のんきにまんがの話《はなし》をしている園子《そのこ》たちに、コナンは（おい…）とあきれてしまった。

一方《いっぽう》、交差点《こうさてん》のキッドファンたちはすっかりテレポーテーションを期待《きたい》して「キッド！　キッド！」と歓声《かんせい》をあげている。

「さあ大変《たいへん》な事《こと》になりました!!　突然飛《とつぜんと》び出《で》た怪盗《かいとう》キッドのテレポーテーション宣言《せんげん》!!　はたしてキッドはこの包囲網《ほういもう》から…本当《ほんとう》に瞬間移動《しゅんかんいどう》で脱出《だっしゅつ》する事《こと》ができるのでしょうか!?」

キッドの様子《ようす》は、アナウンサーの実況《じっきょう》とともに全国放映《ぜんこくほうえい》されている。

ワゴン車内《しゃない》のスタッフたちは、あせっていた。

「そ、相談役《そうだんやく》！　ど、どうします相談役《そうだんやく》!?」

「ええいうろたえるな!!　よーく見《み》てみィこの状況《じょうきょう》を!!　彼奴《きゃつ》は四方《しほう》を網《あみ》で囲《かこ》まれ、自慢《じまん》のハンググライダーで飛《と》び立《た》つ事《こと》がままならぬ地上《ちじょう》に釘付《くぎづ》けじゃ!!　瞬間移動《しゅんかんいどう》など片腹痛《かたはらいた》いわ!!!」

次郎吉《じろきち》は、テレポーテーションなどできるわけがないとタカをくっているようだ。

一方《いっぽう》、網《あみ》の内側《うちがわ》にいた中森警部《なかもりけいぶ》は、人混《ひとご》みをかきわけて、「おのれキッド、そこを動《うご》くな!!」とどなりながらキッドに近《ちか》づこうとしていた。

中森警部《なかもりけいぶ》に気《き》づいたキッドは、テレビカメラに向《む》かってささやきかけた。

「伝説《でんせつ》のミュール『紫紅の爪《パープル・ネイル》』…この通《とお》り確《たし》かに頂戴《ちょうだい》いたしました！」

ジャケットの内側《うちがわ》に入《い》れた「紫紅の爪《パープル・ネイル》」をちらりと見《み》せる。

「ではまた10数秒後《すうびょうご》に…時空《じくう》を越《こ》えた先《さき》で…」

「キッドオオ!!」

中森警部《なかもりけいぶ》が、両腕《りょううで》を広《ひろ》げてキッドに迫《せま》る。しかしキッドは、まったく気《き》にせずに続《つづ》けた。

「お会《あ》いしましょう…」

ポン、と甲高《かんだか》い音《おと》がして、煙幕《えんまく》が上《あ》がった。キッドに飛《と》びかかった中森警部《なかもりけいぶ》の両腕《りょうで》が、すかっと空《そら》を切《き》る。

キッドの姿《すがた》は、煙幕《えんまく》とともにこつぜんと消《き》えていた。

「き、消《き》えた…」

「ホントに消《き》えちゃったよ！」

「瞬間移動《しゅんかんいどう》だ!!」

TV《テレビ》スタッフやキッドファンたちは、早《はや》くも驚《おどろ》いている。

しかしコナンは、キッドが消《き》えたトリックを瞬時《しゅんじ》に見抜《みぬ》いていた。

(いや…煙幕《えんまく》と共《とも》に群衆《ぐんしゅう》の中《なか》に紛《まぎ》れ込《こ》んだだけだ！　そんなんじゃ瞬間移動《しゅんかんいどう》にはならねーぜ？)


ワゴン車内《しゃない》では、次郎吉《じろきち》が、スタッフに指示《しじ》を飛《と》ばしていた。

「発信器《はっしんき》は!?　ダミーのミュールに付《つ》けた発信器《はっしんき》の現在位置《げんざいいち》は!?」

交差点《こうさてん》に展示《てんじ》されていたミュールは、偽物《にせもの》で、しかも発信機《はっしんき》がしこまれていたらしい。

スタッフの男《おとこ》はモニターの画面《がめん》を切《き》り替《か》え、発信機《はっしんき》の位置《いち》を確認《かくにん》した。

「交差点内《こうさてんない》を錦座《きんざ》3丁目《ちょうめ》に向《む》かって北上中《ほくじょうちゅう》！」

「よォし！　3丁目《ちょうめ》方向《ほうこう》の網《あみ》の前《まえ》に警備員《けいびいん》を…いや、全方向《ぜんほうこう》じゃ！　全《すべ》ての網《あみ》を警備員《けいびいん》で固《かた》めろ!!」

「はっ!!」

次郎吉《じろきち》の命令《めいれい》を受《う》け、サングラスをかけた強面《こわもて》の警備員《けいびいん》たちが、どこからともなく交差《こうさ》点《てん》に姿《すがた》を現《あらわ》した。

「え？」

「ちょっ…」

突然《とつぜん》やってきた強面《こわもて》の男《おとこ》たちに、キッドファンたちが困惑《こんわく》する。

警備員《けいびいん》たちは、網《あみ》の壁《かべ》の前《まえ》にずらりと並《なら》び、ほとんど隙間《すきま》なく四方《しほう》をかためた。

「これで彼奴《きゃつ》は袋《ふくろ》の鼠《ねずみ》、下手《へた》な小細工《こざいく》で抜《ぬ》け出《だ》そうとすればひっ捕《と》らえてくれようぞ!!」

次郎吉《じろきち》はすっかり上機嫌《じょうきげん》だ。

「して、彼奴《きゃつ》は今《いま》どこじゃ？」

「そ、それが…突然方向《とつぜんほうこう》を変《か》えて…交差点内《こうさてんない》を縦横無尽《じゅうおうむじん》に駆《か》け巡《めぐ》っています!!　まるで空《くう》間《かん》を切《き》り裂《さ》くカマイタチのように…」

おののくスタッフの前《まえ》に設置《せっち》されたモニターでは、確《たし》かに発信機《はっしんき》が、奇妙《きみょう》な動《うご》きをしているのが映《うつ》し出《だ》されていた。ゆるいカーブを描《えが》くようにして、交差点内《こうさてんない》をすごい速《はや》さで移《い》動《どう》している。

「た、たわけ！　この群衆《ぐんしゅう》の中《なか》でそんな勝手《かって》な真似《まね》なぞ…できるわけが…」

「ん？」

網《あみ》の壁《かべ》の中《なか》にいた小五郎《こごろう》は、人々《ひとびと》の間《あいだ》をカードが飛《と》んでいるのを見《み》つけて、首《くび》をかしげた。

カードはシュルルルと回転《かいてん》しながら飛《と》んできて、小五郎《こごろう》の足元《あしもと》に落《お》ちた。トランプほどの大《おお》きさの白《しろ》いカードで、キッドの顔《かお》のイラストが描《か》かれている。どうやらカードは、キッドが放《はな》ったもののようだ。

「こ、こいつは…怪盗《かいとう》キッドのマーク！　ど、どこから？」

小五郎《こごろう》が拾《ひろ》い上《あ》げたカードを、コナンはじっと観察《かんさつ》した。

(左上《ひだりうえ》に貼《は》り付《つ》けてあるのは発信器《はっしんき》…？　そして裏《うら》には…Three《スリー》？)

Three《スリー》——数字《すうじ》の三《さん》を意味《いみ》する英単語《えいたんご》が、カードの裏《うら》に書《か》かれている。

離《はな》れたところに立《た》っていた若《わか》い女性《じょせい》と、別《べつ》の男性《だんせい》グループも、キッドのカードを拾《ひろ》っていた。

「キャー！　キッドのカードが落《お》ちて来《き》た！」

「裏《うら》に何《なに》か書《か》いてあるよ！」

「おい、あれもか！」

カードを拾《ひろ》い上《あ》げ、そして、裏面《うらめん》に書《か》かれている英単語《えいたんご》をそれぞれ読《よ》み上《あ》げる。

「Two《トゥー》…？」

「One《ワン》！」

ポン！

ビルの屋上《おくじょう》で、破裂音《はれつおん》があがった。

「え？」

音《おと》のした方《ほう》に目《め》をやって、交差点《こうさてん》にいた全員《ぜんいん》が、驚《おどろ》きで目《め》を見開《みひら》いた。

「そ、そんな…」

「バカな⁉」

中森警部《なかもりけいぶ》と次郎吉《じろきち》も、言葉《ことば》を失《うしな》って立《た》ち尽《つ》くした。

煙《けむり》とともに姿《すがた》を現《あらわ》したのは、怪盗《かいとう》キッドだったのだ。

ついさっきまで交差点《こうさてん》の真《ま》ん中《なか》にいたはずのキッドが、今《いま》は、ビルの屋上《おくじょう》に設置《せっち》された
フェンスの手前《てまえ》に立《た》ち、満月《まんげつ》を背《せ》にしてマントをはためかせている。

(お、屋上《おくじょう》に⁉)

コナンは目《め》を見張《みは》った。

「キ、キッドです‼　怪盗《かいとう》キッドが我々日売《われわれにちうり》ＴＶ《テレビ》の陣取《じんど》るビルの屋上《おくじょう》に突然姿《とつぜんすがた》を現《あらわ》しました ー‼」

屋上《おくじょう》で待機《たいき》していたアナウンサーが、興奮《こうふん》してまくしたてる。

ワッと、キッドファンたちから歓声《かんせい》があがった。

「すごい！　すごいよキッド様《さま》ァ♡」

と、園子《そのこ》はすっかりメロメロになっている。

「本当《ほんとう》に20秒足《びょうた》らずで…」

「あんな所《ところ》にテレポートしちゃった…」

小五郎《こごろう》と蘭《らん》が、呆然《ぼうぜん》とつぶやいた。


ワゴン車《しゃ》の中《なか》にいた次郎吉《じろきち》は、キッドの瞬間移動《テレポーテーション》を目《ま》の当《あ》たりにして度肝《どぎも》を抜《ぬ》かれたものの、徐々《じょじょ》に落《お》ち着《つ》きを取《と》り戻《もど》していた。

「そ、相談役《そうだんやく》!?」

スタッフに判断《はんだん》を求《もと》められ、次郎吉《じろきち》は「フン！」と鼻《はな》を鳴《な》らした。

「此奴《こやつ》は影武者《かげむしゃ》じゃ!!　元々《もともと》ビルの屋上《おくじょう》に潜《ひそ》んでいたもう一人《ひとり》が姿《すがた》を現《あらわ》したにすぎん!!　先《さき》ほど『紫紅の爪《パープル・ネイル》』を持《も》ち去《さ》った方《ほう》のキッドはまだ群衆《ぐんしゅう》の中《なか》におる!!　其奴《そやつ》を引《ひ》っ捕《と》らえるまで囲《かこ》いを解《と》くでないぞ!!」


キッドは、屋上《おくじょう》に待機《たいき》していた日売TV《にちうりテレビ》のカメラの前《まえ》に、スッと進《すす》み出《で》た。

「あ、あのォ……」

とまどうスタッフの前《まえ》で、キッドは「紫紅の爪《パープル・ネイル》」を右足《みぎあし》だけ出《だ》すと、静《しず》かに告《つ》げた。

「鈴木次郎吉相談役《すずきじろきちそうだんやく》にお伝《つた》えください…貴方《あなた》から贈《おく》られた貴重《きちょう》な品《しな》は確《たし》かに預《あず》かりましたが…残念《ざんねん》ながら片方《かたほう》は模造品《もぞうひん》…」

車内《しゃない》のモニターで日売TV《にちうりテレビ》の中継《ちゅうけい》を見《み》ていた次郎吉《じろきち》の表情《ひょうじょう》に、驚《おどろ》きの色《いろ》が浮《う》かぶ。

キッドは、「紫紅の爪《パープル・ネイル》」の片方《かたほう》がダミーであることに気《き》がついていたのだ。

「これはそちらにお返《かえ》ししますので…可能《かのう》ならば…明晩《みょうばん》、再《ふた》びこの場所《ばしょ》に用意《ようい》して頂《いただ》けるとありがたい。愛《いと》しい女性《じょせい》に贈《おく》ろうにも片方《かたほう》のみでは機嫌《きげん》を損《そこ》ねるだけですから…」

「あ…」

言葉《ことば》を失《うしな》うスタッフの前《まえ》で、キッドはシルクハットを深《ふか》くかぶり直《なお》すと、

「では…」

と、後《うし》ろに倒《たお》れるようにして、屋上《おくじょう》から飛《と》び降《お》りた。

「あ〜〜〜〜〜〜〜!?」

アナウンサーが、目《め》を丸《まる》くして叫《さけ》ぶ。

キッドは、落下《らっか》の途中《とちゅう》でハンググライダーを広《ひろ》げ、軽々《かるがる》と網《あみ》の壁《かべ》を越《こ》えていってしまった。

結局《けっきょく》、今夜《こんや》も、すべてがキッドの思惑通《おもわくどお》りに進《すす》んだようだ。

「ふふ…ハッハッハッ!!」

勝《か》ち誇《ほこ》って笑《わら》い声《ごえ》をあげたキッドの頬《ほお》を、突然《とつぜん》、ズォ！　と、何《なに》かがかすめた。

衝撃《しょうげき》で、片眼鏡《モノクル》が吹《ふ》き飛《と》ぶ。

飛《と》んできたのは、サッカーボールのようだ。キッドは、ボールが飛《と》んできた方向《ほうこう》へと視線《しせん》を落《お》とした。交差点《こうさてん》にあふれる人々《ひとびと》の中《なか》から、即座《そくざ》に江戸川《えどがわ》コナンの姿《すがた》を見《み》つけて、思《おも》わず微笑《びしょう》する。

「………」

月夜《つきよ》を飛《と》んでいくキッドの姿《すがた》を、コナンは無言《むごん》で見送《みおく》った。


キッドが、明日《あした》、もう片方《かたほう》のミュールを盗《ぬす》みに来《く》る。

交差点《こうさてん》にいて中継《ちゅうけい》を見《み》ていなかったコナンたちや中森警部《なかもりけいぶ》は、次郎吉《じろきち》から聞《き》いて初《はじ》めて、キッドの発言《はつげん》を知《し》った。

「なに!?　明日《あした》も盗《ぬす》みに来《く》る!?　本当《ほんとう》にキッドがそう言《い》ってたのか？」

驚《おどろ》く中森警部《なかもりけいぶ》に、次郎吉《じろきち》は「ああ…」と神妙《しんみょう》にうなずいた。

「TV《テレビ》カメラに向《む》かってほざいておったわ！　片方《かたほう》の偽物《にせもの》は返《かえ》すから…明晩《みょうばん》もう片方《かたほう》の本《ほん》物《もの》を同《おな》じ場所《ばしょ》に用意《ようい》しろとな！」

「でも、おじ様《さま》…だったら何《なん》で両方偽物《りょうほうにせもの》にしなかったの？」

「そうすれば彼奴《きゃつ》は両方《りょうほう》放り出《だ》し、群衆《ぐんしゅう》に紛《まぎ》れて逃《に》げるだけ…それでは儂《わし》の勝《か》ちにはならぬじゃろ？」

園子《そのこ》の質問《しつもん》に次郎吉《じろきち》が答《こた》えると、小五郎《こごろう》は「なるほど…」と納得《なっとく》した。

「キッドの素顔《すがお》はわからねぇから本物《ほんもの》のミュールを持《も》ってないと、群衆《ぐんしゅう》の中《なか》から捜《さが》すのは無理《むり》ってわけか…」

「じゃあせめてその偽物《にせもの》に発信器《はっしんき》でも付《つ》けてりゃ、キッドがどういう経路《けいろ》で屋上《おくじょう》に移動《いどう》したかわかったものを…」

中森警部《なかもりけいぶ》が渋《しぶ》い顔《かお》で言《い》う。

「もちろん付《つ》けておったよ…途中《とちゅう》で外《はず》されてしまったようじゃがのォ…」

「その発信器《はっしんき》ってこれじゃない？」

コナンは、キッドがカウントダウンに使《つか》ったカードを、次郎吉《じろきち》に差《さ》し出《だ》した。

「小五郎《こごろう》おじさんがあの交差点《こうさてん》で拾《ひろ》ったキッドのカードにテープで何《なに》か付《つ》けてあるよ！」

「こ、これはまさしく儂《わし》がダミーのミュールに付《つ》けさせた発信器《はっしんき》！」

次郎吉《じろきち》はカードを受《う》け取《と》ると、しげしげと眺《なが》めた。

「いつこれを？」

「キッドが瞬間移動《しゅんかんいどう》する5、6秒前《びょうまえ》に空《そら》からヒラヒラと…」

小五郎《こごろう》が答《こた》える。

「そのカードの他《ほか》に2枚《まい》あったよね？」

園子《そのこ》に確認《かくにん》を求《もと》められ、蘭《らん》は「うん！」とうなずいた。

「裏《うら》に書《か》いてある文字《もじ》の『スリー』『トゥー』『ワン』の順《じゅん》に落《お》ちて来《き》て…」

「『ワン』のカードの直後《ちょくご》にキッドが屋上《おくじょう》に現《あらわ》れたのよ！」

証言《しょうげん》する園子《そのこ》の声《こえ》は、うきうきと弾《はず》んでいる。狙《ねら》われているのは鈴木財閥《すずきざいばつ》が所有《しょゆう》する宝《ほう》石《せき》だというのに、完全《かんぜん》にキッドの方《ほう》を応援《おうえん》しているようだ。

「――って事《こと》は偽物《にせもの》のミュールに発信器《はっしんき》を見《み》つけ、元々演出《もともとえんしゅつ》でばらまく予定《よてい》のカードにそれをくっ付《つ》けたんだな…」

小五郎《こごろう》が、蘭《らん》と園子《そのこ》の証言《しょうげん》をまとめて言《い》った。

「となると、そのカードをばらまいた時点《じてん》でキッドは屋上《おくじょう》にいた事《こと》になるな…いくら何《なん》でも群衆《ぐんしゅう》の中《なか》でカードを3枚《まい》も飛《と》ばせば、誰《だれ》か見《み》てるだろうから…」

中森警部《なかもりけいぶ》が推測《すいそく》を重《かさ》ねる。

「しかし彼奴《きゃっ》はいかにして屋上《おくじょう》に…」

「単純《たんじゅん》にあのビルのエレベーターを使《つか》ったんじゃないんスか？　最上階《さいじょうかい》まで直通《ちょくつう》のヤツに乗《の》れば…」

適当《てきとう》な小五郎《こごろう》の推理《すいり》に、次郎吉《じろきち》は「無理《むり》じゃよ！」と反論《はんろん》した。

「あの交差点《こうさてん》の四隅《よすみ》のビルは儂《わし》が1日借《にちか》り切《き》り、出入《でい》り口《ぐち》は全《すべ》て封鎖《ふうさ》しておったからのォ！」

「か、借《か》り切《き》った!?」

小五郎《こごろう》の声《こえ》が裏返《うらがえ》った。錦座《きんざ》のど真《ま》ん中《なか》に建《た》つビルを丸々借《まるまるか》り切《き》るとは、恐《おそ》るべき財力《ざいりょく》だ。

「それにたとえ何《なん》らかの方法《ほうほう》でビル内《ない》に侵入出来《しんにゅうでき》たとしても、エレベーターを使《つか》って最上《さいじょう》階《かい》に行《い》くには1分近《ぷんちか》くかかる…20秒足《びょうた》らずではできぬわ!!」

「でもさー…」

さりげない口調《くちょう》で口《くち》を挟《はさ》んだのは、コナンだ。

「あのミュールだけだったら…屋上《おくじょう》に持《も》って行《い》く事《こと》は出来《でき》るんじゃない？」

「え？」

「ホラ、キッドって仲間《なかま》が1人《り》いるんでしょ？　その仲間《なかま》とキッドが屋上《おくじょう》と下《した》でうまくやれば…」

コナンのヒントに真《ま》っ先《さき》にピンときた中森警部《なかもりけいぶ》が、「そうか！」と叫《さけ》んだ。

「あらかじめ屋上《おくじょう》から釣《つ》り糸《いと》を垂《た》らしておき、地上《ちじょう》でミュールを奪《うば》った1人《り》がその糸《いと》にそれを括《くく》り付《つ》け、屋上《おくじょう》に潜《ひそ》んでいたもう1人《り》がそれを引《ひ》っ張《ぱ》り上《あ》げれば…」

「あたかも瞬間移動《しゅんかんいどう》したかのように見《み》えるというわけですな！」

小五郎《こごろう》が、中森警部《なかもりけいぶ》に同調《どうちょう》して言《い》う。

「ああ…ミュールだけなら釣《つ》りのリールでも使《つか》えば数秒《すうびょう》で…」

確信《かくしん》に満《み》ちてまくしたてる中森警部《なかもりけいぶ》に、次郎吉《じろきち》が口《くち》を挟《はさ》んだ。

「いや…ミュールだけじゃありゃせんよ！」

「え？」

中森警部《なかもりけいぶ》がきょとんとした顔《かお》になる。

次郎吉《じろきち》は、部屋《へや》の外《そと》に待機《たいき》していたスタッフに「おい！　中《なか》へ入《はい》って説明《せつめい》せい！」と声《こえ》をかけた。

「は、はい！」

スーツ姿《すがた》の男《おとこ》が、おずおずと部屋《へや》の中《なか》に入《はい》ってくる。

「自分《じぶん》はミュールの展示台《てんじだい》の周《まわ》りに配置《はいち》されていた４人《にん》の警備員《けいびいん》の中《なか》の１人《り》なんですが…最初《さいしょ》にキッドが現《あらわ》れた時《とき》、群衆《ぐんしゅう》がドッと押《お》し寄《よ》せたのはご存《ぞん》じですよね？」

「あ、ああ…」

話《はなし》がつかめないまま、中森警部《なかもりけいぶ》がうなずいた。

「その中《なか》にハンバーガーを持《も》っていた方《かた》がいて、その方《かた》を止《と》めようとした時《とき》に運悪《うんわる》くケチャップが手《て》についてしまい…そのケチャップ塗《まみ》れの手《て》でつかんだんですよ！　キッドが展《てん》示台《じだい》から消《き》える時《とき》に、逃《に》げられまいと彼《かれ》のマントを！」

「んで？　ケチャップで手《て》が滑《すべ》って逃《に》げられちまったとかいうんじゃねーだろーな？」

小五郎《こごろう》が顔《かお》をしかめて聞《き》くと、男《おとこ》は「あ、いえ…」と言葉《ことば》をにごした。

「これを観《み》よ！」

次郎吉《じろきち》が、モニターの電源《でんげん》を入《い》れる。

再生《さいせい》されたのは、屋上《おくじょう》でテレビカメラに向《む》かって話《はな》しかけていた時《とき》のキッドの映像《えいぞう》。中《なか》森警部《もりけいぶ》やコナンたちは、初《はじ》めて見《み》る。

『明晩《みょうばん》、再《ふたた》びこの場所《ばしょ》に用意《ようい》して頂《いただ》けるとありがたい…』

そう言《い》って、画面《がめん》の中《なか》のキッドが、カメラの方《ほう》にミュールを見《み》せる。

「これが明日《あした》も盗《と》りに来《く》るって予告《よこく》した例《れい》の映像《えいぞう》か…」

中継《ちゅうけい》を見《み》ていなかった中森警部《なかもりけいぶ》が、キッドの映《うつ》るモニターにぐっと顔《かお》を近《ちか》づけた。

「ここじゃ！」

次郎吉《じろきち》が、突然《とつぜん》、映像《えいぞう》を一時停止《いちじていし》した。

中森警部《なかもりけいぶ》は静止画《せいしが》に目《め》を凝《こ》らすが、一見《いっけん》しただけでは、不審《ふしん》な点《てん》などないように見《み》える。

「んー？」

「わからぬか？　左端《ひだりはし》の風《かぜ》でめくれたマントじゃよ！」

次郎吉《じろきち》に指摘《してき》され、中森警部《なかもりけいぶ》は「!?」と息《いき》をのんだ。

風《かぜ》にはためく白《しろ》マントに、くっきりと赤《あか》い手形《てがた》がついていたのだ。

「あ、赤《あか》い手形《てがた》!?」

「この警備員《けいびいん》がつかんだ跡《あと》か!!」

小五郎《こごろう》が、警備員《けいびいん》の方《ほう》を振《ふ》り返《かえ》る。

「いかな彼奴《きゃつ》でもこんな事《こと》までは想定《そうてい》できまい…つまり、屋上《おくじょう》に現《あらわ》れたのは最初《さいしょ》に地上《ちじょう》に降《お》り立《た》った怪盗《かいとう》キッドと同一人物《どういつじんぶつ》！　彼奴《きゃつ》は移動《いどう》したんじゃよ…わずか二十秒足《にじゅうびょうた》らずで…三十m上空《さんじゅうメートルじょうくう》のあの場所《ばしょ》にな!!」

コナンは言葉《ことば》を失《うしな》って、キッドのマントについた赤《あか》い汚《よご》れを見《み》つめた。

次郎吉《じろきち》の言《い》う通《とお》り、キッドは部下《ぶか》とすり替《か》わったわけではないようだ。

だとすれば――いったいどうやって、あの状況下《じょうきょうか》でテレポーテーションを可能《かのう》にしたのだろうか？


翌日《よくじつ》。

コナンは、少年探偵団《しょうねんたんていだん》のメンバー――小嶋元太《こじまげんた》や円谷光彦《つぶらやみつひこ》、吉田歩美《よしだあゆみ》、そして灰原哀《はいばらあい》とともに登校《とうこう》していた。

「観《み》ましたか？　昨夜《ゆうべ》の怪盗《かいとう》キッド!!」

光彦《みつひこ》が切《き》り出《だ》すと、歩美《あゆみ》ははしゃいだ声《こえ》で「観《み》た観《み》た！　TV《テレビ》でやってたね！」とうなずいた。

「かっこよかったですねー！　キッドの瞬間移動《しゅんかんいどう》！」

「うん！　キッド、今夜《こんや》もテレポートしに来《く》るんだよね？　歩美《あゆみ》、今《いま》からドキドキだよ！」

「ですよね！　何《なん》たって錦座《きんざ》4丁目《ちょうめ》の交差点《こうさてん》のド真《ま》ん中《なか》から消《き》えたと思《おも》ったら…すぐ近《ちか》くのビルの屋上《おくじょう》に颯爽《さっそう》と現《あらわ》れたんですから！」

光彦《みつひこ》も歩美《あゆみ》も、すっかりキッドの瞬間移動《テレポーテーション》に心《こころ》を奪《うば》われていた。

「キッドってよ、ひょっとしたらエスパーじゃねぇの？」

元太《げんた》の何気《なにげ》ない一言《ひとこと》を、コナンが即座《そくざ》に否定《ひてい》した。

「奴《やつ》は超能力者《ちょうのうりょくしゃ》なんかじゃねぇ！　ただの手品《てじな》を使《つか》う泥棒《どろぼう》だよ！」

「あら、じゃあその手品《てじな》のタネわかったのかしら？」

灰原《はいばら》が、からかうように言《い》う。

「コナン君《くん》も居《い》たんだよね？　キッドが来《き》た交差点《こうさてん》…」

歩美《あゆみ》にうらやましそうな視線《しせん》を向《む》けられ、コナンはバツが悪《わる》そうな顔《かお》になった。

「あ、ああ…居《い》たは居《い》たけどタネはまだ…」

「もしかしたらキッドは二人《ふたり》いたんじゃないでしょうか…一人《ひとり》が地上《ちじょう》でお宝《たから》のミュールを

盗《と》って姿《すがた》を消《け》し、屋上《おくじょう》に隠《かく》れてたもう一人《ひとり》が姿《すがた》を現《あらわ》せば……」

光彦《みつひこ》が、昨晩《さくばん》のコナンと同《おな》じ推理《すいり》を披露《ひろう》した。

「すごーい光彦君《みつひこくん》!!」

と、歩美《あゆみ》が素直《すなお》に感心《かんしん》する。光彦《みつひこ》はどうやら、映像《えいぞう》に残《のこ》っていたマントのケチャップ汚《よご》れに気《き》がついていないようだ。

「それはねーよ！　交差点《こうさてん》の中心《ちゅうしん》にあったミュールの展示台《てんじだい》を守《まも》っていた警備員《けいびいん》がキッドが逃《に》げる時《とき》に付《つ》けた手形《てがた》が、屋上《おくじょう》に現《あらわ》れたキッドのマントにあったし。その屋上《おくじょう》でTV中《テレビちゅう》継《けい》してたアナウンサーにキッドが手渡《てわた》した偽《にせ》のミュールは、間違《まちが》いなく鈴木次郎吉相談役《すずきじろきちそうだんやく》が作《つく》らせた物《もの》だったらしいしな！」

コナンがわかりやすく説明《せつめい》したが、光彦《みつひこ》たちは自分《じぶん》の推理《すいり》に夢中《むちゅう》で、まるで聞《き》いていなかった。

「キッドって双子《ふたご》かもしれませんね！」

「あるかもー！」

「だったらスゲーよな！」

と三人《さんにん》でどんどん盛《も》り上《あ》がっている。

(――って、聞《き》いてねぇなこいつら…)

呆《あき》れるコナンの顔《かお》を、灰原《はいばら》がのぞきこんだ。

「まあ彼《かれ》が奇跡《きせき》を起《お》こした事《こと》は確《たし》かだわ…網《あみ》で囲《かこ》まれたあの交差点《こうさてん》の真《ま》ん中《なか》で大観衆《だいかんしゅう》が見《み》守《まも》る中姿《なかすがた》を消《け》し、わずか二十秒《にじゅうびょう》足《た》らずで隣接《りんせつ》するビルの屋上《おくじょう》に移動《いどう》したんだもの…」

「ああ…確《たし》かに人間業《にんげんわざ》とは思《おも》えねぇが…」

コナンはそこで一度言葉《いちどことば》を切《き》ると、力強《ちからづよ》い口調《くちょう》で続《つづ》けた。

「裏《うら》を返《かえ》せば…二十秒近《にじゅうびょうちか》くかけなきゃ移動《いどう》できなかったって事《こと》だ!! ぜってーこの二十秒《にじゅうびょう》の謎《なぞ》を解《と》き明《あ》かして、今度《こんど》こそあの瞬間移動《しゅんかんいどう》のトリックを暴《あば》いてやるぜ!!」

気合《きあ》いの入《はい》るコナンを見《み》て、灰原《はいばら》は「フ…」と笑《え》みをもらした。

「何《なん》だか楽《たの》しそうね…」

「あん?」

「まるでプレゼントされたオモチャの箱《はこ》を開《あ》ける前《まえ》の子供《こども》のよう…」

そう言《い》うと、灰原《はいばら》は声《こえ》を低《ひく》くして続《つづ》けた。

「でも気《き》をつけなさいよ! 相手《あいて》は月下《げっか》の奇術師怪盗《きじゅつしかいとう》キッド…夜《よる》、人目《ひとめ》につきやすいあの白《しろ》い衣装《いしょう》で現《あらわ》れた時点《じてん》で彼《かれ》は余裕綽々《よゆうしゃくしゃく》なんだから…」

「ああ…わあってるよ…」


放課後《ほうかご》。

コナンは蘭《らん》たちとともに、錦座四丁目《きんざよんちょうめ》の交差点《こうさてん》へと向《む》かった。

まだ夕方前《ゆうがたまえ》だというのに、空《そら》にはヘリコプターが飛《と》び交《か》い、交差点《こうさてん》にはすでに網《あみ》の壁《かべ》が張《は》られている。

「おいおいおい…キッドが来《く》る前《まえ》からもう網《あみ》を張《は》ってんのかよ？」

交差点《こうさてん》を囲《かこ》む網《あみ》の壁《かべ》を見上《みあ》げ、小五郎《こごろう》がボヤいた。

「しかも網《あみ》の中《なか》に一般人《いっぱんじん》を入《い》れないなんて…」

と、蘭《らん》も困惑顔《こんわくがお》だ。

「そういえば次郎吉《じろきち》おじ様《さま》、屋上《おくじょう》で中継《ちゅうけい》してたＴＶ局《テレビきょく》のスタッフもみんな閉《し》め出《だ》したらしいよ！」

園子《そのこ》の言葉《ことば》に、コナンは苦笑《にがわら》いした。

（なりふりかまってねぇな、あのジィさん…）

当《とう》の次郎吉《じろきち》は、意気揚々《いきようよう》とした様子《ようす》で、中森警部《なかもりけいぶ》と握手《あくしゅ》を交《か》わしている。

「いやぁ御協力感謝《ごきょうりょくかんしゃ》しておるぞ、中森警部《なかもりけいぶ》！」

「いえいえ…」

「儂《わし》のスタッフと警視庁《けいしちょう》が組《く》めば鬼《おに》に金棒《かなぼう》じゃわい!!」

次郎吉《じろきち》の言《い》い草《ぐさ》を聞《き》いた中森警部《なかもりけいぶ》の顔《かお》に、(最初《さいしょ》からそうしろってーの！)とムッとした表情《ひょうじょう》が浮《う》かぶ。中森警部《なかもりけいぶ》はそもそも最初《さいしょ》から、警視庁《けいしちょう》と鈴木財閥《すずきざいばつ》のスタッフが協力《きょうりょく》して警備《けいび》にあたることを提案《ていあん》していた。だが、次郎吉《じろきち》が自前《じまえ》の警備《けいび》にこだわって、中森警部《なかもりけいぶ》の提案《ていあん》をつっぱねていたのだ。

しかし、さすがの次郎吉《じろきち》も、キッドの瞬間移動《テレポーテーション》を目《ま》のあたりにして、とうとう警視庁《けいしちょう》の協力《きょうりょく》を受《う》け入《い》れる気《き》になったらしい。

「さあ瞬間移動《しゅんかんいどう》できるものならしてみよ怪盗《かいとう》キッド!!」

次郎吉《じろきち》は、台座《だいざ》の上《うえ》の「紫紅の爪《パープル・ネイル》」を見《み》つめて息巻《いきま》いた。

「この丸見《まるみ》えの状況《じょうきょう》で今日《きょう》こそその首根《くびね》っこ引《ひ》っつかんで…その栄誉《えいよ》を儂《わし》の自伝《じでん》の最終章《さいしゅうしょう》に刻《きざ》み込《こ》み！　その武勇伝《ぶゆうでん》で栄《は》えある新聞《しんぶん》の一面《いちめん》を埋《う》め尽《つ》くしてくれようぞ!!」

次郎吉《じろきち》は、あくまで新聞《しんぶん》の一面記事《いちめんきじ》にこだわっているようだ。

アッアッアッ!!　とおなじみの高笑《たかわら》いをあげる次郎吉《じろきち》に、中森警部《なかもりけいぶ》はあきれ返《かえ》ってしまった。

（このジイさん…まだそんな事《こと》にこだわってんのか…）

「キャー、キッド様《さま》♡」

交差点《こうさてん》を囲《かこ》む網《あみ》の壁《かべ》の外《そと》でキッドを待《ま》ちながら、園子《そのこ》は携帯TV《けいたいテレビ》に夢中《むちゅう》になっていた。

「え？　これって昨夜《ゆうべ》のTV中継《テレビちゅうけい》？」

と、蘭《らん》が画面《がめん》をのぞき込《こ》む。再生中《さいせいちゅう》の動画《どうが》の中《なか》では、「紫紅の爪《パープル・ネイル》」を手《て》にしたキッドが『明晩再《みょうばんふた》びこの場所《ばしょ》に…』と、カメラに向《む》かって語《かた》りかけていた。

「そう！　待《ま》ってる間暇《あいだひま》だから昨日録画《きのうろくが》したのを携帯《けいたい》テレビで観《み》てるのよ！　キッド様《さま》の白《しろ》い御姿《おすがた》をね！」

動画《どうが》の中《なか》のキッドが、『愛《いと》しい女性《じょせい》に贈《おく》ろうにも片方《かたほう》のみでは機嫌《きげん》を損《そこ》ねるだけですから…』と彼以外《かれいがい》には似合《にあ》わないキザなセリフを口《くち》にする。夜景《やけい》を背《せ》にして立《た》つキッドの白《しろ》い衣装《いしょう》は、くっきりとよく目立《めだ》っていた。

「ねえ…前《まえ》から不思議《ふしぎ》に思《おも》ってたんだけど…どうしてキッドって白《しろ》い格好《かっこう》をしてるのかなあ？　現《あらわ》れるのっていつも夜《よる》なんだから黒《くろ》い方《ほう》が目立《めだ》たなくていいと思《おも》うんだけど…」

「そんなの決《き》まってるでしょ!?　怪盗《かいとう》は大胆不敵《だいたんふてき》で華麗《かれい》だからよ!!」

園子《そのこ》と蘭《らん》の他愛《たあい》もない会話《かいわ》に、コナンはふと引《ひ》っかかりを覚《おぼ》えた。

確《たし》かに蘭《らん》の言《い》う通《とお》り、キッドはいつも白《しろ》い衣装《いしょう》で現《あらわ》れる。目立《めだ》つのでデメリットが多《おお》そうだが、何《なに》か理由《りゆう》があるのだろうか？

「んな事《こと》よりホントに来《く》るのか？　あの泥棒《どろぼう》…」

小五郎《こごろう》が、疑《うたが》わしげにボヤいた。

「バカねー！　いったん予告《よこく》したキッド様《さま》が…来《こ》なかったためしが…」

反論《はんろん》する園子《そのこ》の背後《はいご》の人混《ひとご》みの中《なか》から、すっと誰《だれ》かの手《て》が上《あ》がった。おもちゃのようなデザインの真《ま》っ白《しろ》な拳銃《けんじゅう》を持《も》っている。

長《なが》い指《ゆび》が空《そら》に向《む》けて引《ひ》き金《がね》を引《ひ》くと、ポン！　と何《なに》かが飛《と》び出《だ》して、交差点《こうさてん》を囲《かこ》む壁《かべ》の網《あみ》を越《こ》えていった。

「何《なに》あれ？」

蘭《らん》が首《くび》をかしげる。

続《つづ》けて園子《そのこ》が、「パラシュート?」とつぶやいた。

網《あみ》の壁《かべ》の向《む》こう側《がわ》でポム！　と小《ちい》さな爆発《ばくはつ》が起《お》き、パラシュートが開《ひら》いた。パラシュートの先《さき》には、トランプほどの大《おお》きさのカードがぶら下《さ》がっている。カードには、キッドのトレードマークが印刷《いんさつ》されていた。

『皆《みな》さん今晩《こんばん》は怪盗《かいとう》キッドです！』

カードから、キッドの声《こえ》が聞《き》こえてきた。

『せっかくお集《あつ》まり頂《いただ》いたのに恐縮《きょうしゅく》ですが…今宵《こよい》のマジックショーは中止致《ちゅうしいた》したいと思《おも》います…』

「ええ～～～!?」

集《あつ》まっていたキッドファンたちから、いっせいに不満《ふまん》の声《こえ》があがった。

『私《わたし》の奇術《きじゅつ》を披露《ひろう》しようにもそれを間近《まぢか》で観《み》て頂《いただ》く観客《かんきゃく》もTV《テレビ》カメラもないこの寂《さび》しい状況《じょうきょう》では、どうにもテンションが上《あ》がらなくて…』

「な、何《なん》じゃとォ!?」

次郎吉《じろきち》がぎょっとして叫《さけ》んだ。

『では皆《みな》さん…　ごきげんよう…』

そう言《い》い残《のこ》すと、ポム、と音《おと》をたててカードが爆発《ばくはつ》する。

キッドが来《こ》ないと聞《き》いて、集《あつ》まったキッドファンたちはすっかり落《お》ち込《こ》んでいた。

「ウソー、キッド来《こ》ないのー？」

「何《なん》だよ…会社早引《かいしゃはやび》きして来《き》たのに…」

キッドが来《こ》ないのは、観客《かんきゃく》が少《すく》ないせい。「紫紅の爪《パープル・ネイル》」の周《まわ》りを網《あみ》の壁《かべ》で囲《かこ》って、人々《ひとびと》を閉《し》め出《だ》しているから――そう考《かんが》えたキッドファンたちは結束《けっそく》し、声《こえ》をそろえてブーイングをあげ始《はじ》めた。

「入《い》、れ、ろ!!　入《い》、れ、ろ!!」

そんな中《なか》、警備《けいび》の男《おとこ》が、「警部《けいぶ》！」と中森警部《なかもりけいぶ》に声《こえ》をかけた。

「群衆《ぐんしゅう》の中《なか》で奇妙《きみょう》な銃《じゅう》を撃《う》った人物《じんぶつ》を見《み》たという方《かた》が…」

「なに!?　じゃあキッドはこの群衆《ぐんしゅう》の中《なか》に…」

中森警部《なかもりけいぶ》は表情《ひょうじょう》を引《ひ》きしめると、「捜《さが》せ〜〜〜!!」と声《こえ》を張《は》り上《あ》げた。

一方《いっぽう》コナンは昨晩《さくばん》のことを思《おも》い出《だ》しながら、交差点《こうさてん》の様子《ようす》を改《あらた》めて観察《かんさつ》した。

(そう…奴《やつ》は昨夜《ゆうべ》も屋上《おくじょう》に姿《すがた》を現《あらわ》す直前《ちょくぜん》にカードを放《はな》っている…落《お》ちて来《き》たのが現《あらわ》れる五《ご》、六秒前《ろくびょうまえ》だから撃《う》ったのはその少《すこ》し前《まえ》。それを誰《だれ》も見《み》てないって事《こと》は、やっぱり奴《やつ》はあの展《てん》示台《じだい》の所《ところ》で姿《すがた》を消《け》してから約十秒《やくじゅうびょう》で地上《ちじょう》から離《はな》れていた事《こと》になる…）

網《あみ》の壁《かべ》は、周囲《しゅうい》に並《なら》んだビルとほぼ同《おな》じくらいの高《たか》さがあるため、乗《の》り越《こ》える方法《ほうほう》はかなり限《かぎ》られている。

（十秒《じゅうびょう》じゃ瞬間移動《しゅんかんいどう》したあのビルの下《した》に群衆《ぐんしゅう》をかき分《わ》けて辿《たど》り着《つ》くのが精一杯《せいいっぱい》…しかも奴《やつ》は立《た》て続《つづ》けにカードを三枚放《さんまいはな》っている。ビル内《ない》に入《はい》ったり何《なに》かに隠《かく》れたりしてたら、そんな事《こと》はできねぇ…）

推理《すいり》が行《い》き詰《づ》まる。

キッドが瞬間移動《しゅんかんいどう》したビルの屋上《おくじょう》をにらみ、コナンは改《あらた》めて思案《しあん》した。

（姿《すがた》を現《あらわ》したまま、誰《だれ》にも気《き》づかれずに短時間《たんじかん》で屋上《おくじょう》に移動《いどう》するなんて事《こと》…可能《かのう》なのか？）

その時《とき》、よく通《とお》る声《こえ》が響《ひび》きわたった。

「おーい！　キッドは観客《かんきゃく》が欲《ほ》しいってよ!!　みんなで入《はい》っちまおうぜ!!」

声《こえ》を上《あ》げたのは、黒《くろ》いキャップを目深《まぶか》にかぶった若《わか》い男《おとこ》だ。

キッドファンたちは、男《おとこ》にあおり立《た》てられて、網《あみ》の壁《かべ》の周囲《しゅうい》に殺到《さっとう》した。

「あ、ちょ…」

中森警部《なかもりけいぶ》が止《と》めようとするが、勢《いきお》いは止《と》まらない。キッドファンたちは網《あみ》をめくり上《あ》げ、下《した》からもぐりこんで、次々《つぎつぎ》と網《あみ》の壁《かべ》の内側《うちがわ》に入《はい》っていった。「キッド！　キッド！」とコールがわき起《お》こる。

「け、警部《けいぶ》！　屋上《おくじょう》で待機《たいき》していたTV局《テレビきょく》のスタッフから『我々《われわれ》も入《い》れろ』と矢《や》のような催促《さいそく》が!!」

無線《むせん》で応対《おうたい》した警備《けいび》の男《おとこ》が、中森警部《なかもりけいぶ》に報告《ほうこく》する。

「んなもん無視《むし》だ無視《むし》！」

ぴしゃりと突《つ》っぱねようとする中森警部《なかもりけいぶ》に、次郎吉《じろきち》が反論《はんろん》した。

「いや、入《い》れるしかあるまい…彼奴《きゃつ》が来《こ》なければ引《ひ》っ捕《と》らえる事《こと》は出来《でき》んからのォ…」

次郎吉《じろきち》に選択《せんたく》の余地《よち》はなかった。

中継《ちゅうけい》が入《はい》らないのなら行《い》かないと、キッド本人《ほんにん》が言《い》っているのだ。キッドをおびき寄《よ》せるためには、TV局《テレビきょく》のスタッフを招《まね》き入《い》れるほかないだろう。

かくして網《あみ》の壁《かべ》の内側《うちがわ》は、昨晩《さくばん》と同《おな》じくたくさんのキッドファンで埋《う》め尽《つ》くされ、屋上《おくじょう》からのTV中継《テレビちゅうけい》も復活《ふっかつ》することになってしまった。

「お茶《ちゃ》の間《ま》の皆《みな》さん！　たった今《いま》、中継再開《ちゅうけいさいかい》の許可《きょか》が下《お》りました！　これより我々日売《われわれにちうり》TV《テレビ》のスタッフ一同《いちどう》は昨夜《ゆうべ》と同《おな》じく怪盗《かいとう》キッドが瞬間移動《しゅんかんいどう》したビルの屋上《おくじょう》に陣取《じんど》り、ライブ中継《ちゅうけい》をお送《おく》りします！　さあ、キッドの登場《とうじょう》を待《ま》ちましょう！」

アナウンサーが意気揚々《いきようよう》と実況《じっきょう》する。

「ウソ…TV《テレビ》中継復活《ちゅうけいふっかつ》してる⁉」

携帯TV《けいたいテレビ》でニュース番組《ばんぐみ》を確認《かくにん》した園子《そのこ》は、目《め》をしばたたいた。

「あれ？　コナン君《くん》は？」

蘭《らん》が、コナンがいないことに気《き》がついてきょろきょろとあたりを見《み》まわした。

そのころ、コナンは人混《ひとご》みにのまれながら、キッドに迫《せま》る手《て》がかりを探《さが》しまわっていた。

(わざわざ群衆《ぐんしゅう》を網《あみ》の中《なか》に集《あつ》めTV《テレビ》中継《ちゅうけい》を再開《さいかい》させたってことは、そういう状況《じょうきょう》じゃねえとできないトリックなのか？)

思考《しこう》をめぐらせながら人々《ひとびと》の間《あいだ》を移動《いどう》していたコナンの後頭部《こうとうぶ》に、何《なに》か硬《かた》いものが押《お》し当《あ》てられた。

「よォ名探偵《めいたんてい》…」

聞《き》こえてきた声《こえ》に、コナンは凍《こお》りついた。

（か、怪盗《かいとう》キッド⁉）

だとすれば、後頭部《こうとうぶ》に押《お》し当《あ》てられているのは、キッドがいつも使《つか》っているトランプ銃《じゅう》だろう。

コナンはちらりと、背後《はいご》に目《め》をやった。キッドは、黒《くろ》いキャップを目深《まぶか》にかぶって顔《かお》を隠《かく》しているようだ。背格好《せかっこう》から判断《はんだん》して、先《さき》ほど群衆《ぐんしゅう》が網《あみ》の中《なか》へ突入《とつにゅう》するようあおりたてた男《おとこ》と、同一人物《どういつじんぶつ》なのは間違《まちが》いないだろう。

「知《し》ってるか？　サーストンの三原則《さんげんそく》…」

キッドが声《こえ》をひそめて聞《き》いた。

「ああ…」

コナンがうなずく。

「二十世紀《にじっせいき》の始《はじ》めに活躍《かつやく》した奇術師《マジシャン》ハワード・サーストン！　その名《な》を冠《かん》して定義付《ていぎづ》けられた三原則《さんげんそく》…マジックでやっちゃいけない『三《みっ》つのタブー』の事《こと》だろ？」

「その通《とお》り…一《ひと》つ目《め》は『奇術師《マジシャン》はタネ明《あ》かしをしてはならない』…これは言《い》わずもがな…二《ふた》つ目《め》は『マジックを披露《ひろう》する前《まえ》にこれから起《お》こる現象《げんしょう》を説明《せつめい》してはならない』…意外性《いがいせい》がなくなり驚《おどろ》きが減《へ》ってしまうから…」

キッドはそこで一度《いちど》言葉《ことば》を切《き》ると、強《つよ》い口調《くちょう》になって続《つづ》けた。

「そして三《みっ》つ目《め》…『同《おな》じマジックを二度《にど》繰《く》り返《かえ》してはならない』！　一回《いっかい》きりだとそのマジックを強烈《きょうれつ》に印象《いんしょう》づけて美化《びか》させ、最上《さいじょう》の奇跡《きせき》の記憶《きおく》として客《きゃく》の心《こころ》に残《のこ》せるが…二度《にど》続《つづ》けると客《きゃく》はその現象《げんしょう》を楽《たの》しむ事《こと》より、タネを見破《みやぶ》る事《こと》に神経《しんけい》を注《そそ》いでしまい…タネが見破《みやぶ》られる危険性《きけんせい》も高《たか》まる…」

「なるほど…逆《ぎゃく》にいえば、そのタブーを犯《おか》してもなお見破《みやぶ》られなければ最高《さいこう》の奇術《きじゅつ》になるってか？」

「そゆコト♡」

キッドが楽《たの》しそうに肯定《こうてい》する。

その時《とき》、蘭《らん》がコナンを見《み》つけて近《ちか》づいてきた。

「あ、いた！　コナン君《くん》！」

蘭《らん》に気付《きづ》いたキッドは、銃口《じゅうこう》を空《そら》に向《む》けた。

ポン！

銃口《じゅうこう》から、何《なに》かがロケットのように飛《と》び出《だ》し、空《そら》に向《む》かってまっすぐに飛《と》んで、交差点《こうさてん》の真《ま》ん中《なか》でポム！　とはじける。

そこから、キッドのマークがついたカードをくりつけたパラシュートが、ゆっくりと降《お》りてきた。カードからは、音声《おんせい》が流《なが》れてくる。

『ではギャラリーも賑《にぎ》わって来《き》たようですので、間《ま》もなくショーを開演《かいえん》したいと思《おも》います……ごゆるりとお楽《たの》しみください……』

ショーを開演《かいえん》するということは、いよいよキッドが姿《すがた》を見《み》せるのだろう。キッドファンたちはワッと一気《いっき》に盛《も》り上《あ》がった。

「ダメでしょ、はぐれちゃ！」

蘭《らん》がコナンの顔《かお》をのぞきこみ、びしっと叱《しか》る。

「あ、うん！」

コナンは、あいまいに笑《わら》ってごまかすと、あわてて振《ふ》り返《かえ》った。しかし、キッドの姿《すがた》はすでに消《き》えている。

（くそっ人混《ひとご》みに紛《まぎ》れやがった…）

コナンはキッドを捜《さが》して周囲《しゅうい》をきょろきょろと見《み》まわしたが、それらしい人影《ひとかげ》はなかった。

もうすぐキッドのショーが始《はじ》まる――。

集《あつ》まったキッドファンたちの興奮《こうふん》は最高潮《さいこうちょう》に達《たっ》しつつあった。交差点《こうさてん》は割《わ》れんばかりのキッドコールに包《つつ》まれている。

「もう盗《と》ったと言《い》わんばかりの盛《も》り上《あ》がりだな…」

そう言《い》うと、小五郎《こごろう》はニヤッとしてあごに手《て》を当《あ》てた。

「まぁ、この名探偵《めいたんてい》の毛利小五郎《もうりこごろう》が直々《じきじき》に指示《しじ》して警備態勢《けいびたいせい》を敷《し》けば…あんな泥棒《どろぼう》の一人《ひとり》や二人《ふたり》…」

「オジさんみたいなのを井《い》の中《なか》の蛙《かわず》って言《い》うのよ!!」

園子《そのこ》がぴしゃりと言《い》った言葉《ことば》に、コナンは「!」と反応《はんのう》した。

(井《い》の中《なか》…の蛙《かわず》…?)

「では、キッドが現《あらわ》れるまでもう一度《いちど》昨夜《ゆうべ》のVTR《ブイティーアール》を…」

園子《そのこ》が手《て》に持《も》った携帯《けいたい》TV《テレビ》から、中継《ちゅうけい》の音声《おんせい》が聞《き》こえてくる。

「まず錦座《きんざ》4丁目《ちょうめ》交差点《こうさてん》の真《ま》ん中《なか》に設置《せっち》された展示台《てんじだい》に…颯爽《さっそう》と降《お》り立《た》った怪盗《かいとう》キッド!

そして煙幕《えんまく》と共《とも》に姿《すがた》を消《け》し、約二十秒《やくにじゅうびょう》の沈黙《ちんもく》の後《あと》、ビルの屋上《おくじょう》に！」

アナウンサーのナレーションと共《とも》に、昨晩《さくばん》のキッドの映像《えいぞう》が再生《さいせい》される。キッドファンに囲《かこ》まれた交差点《こうさてん》の真《ま》ん中《なか》。キッドは展示台《てんじだい》の上《うえ》に降《お》り立《た》ち、しばしカメラに向《む》かって語《かた》りかけたあと、煙幕《えんまく》に紛《まぎ》れて姿《すがた》を消《け》した。

再《ふたた》びキッドが姿《すがた》を見《み》せたのは、約二十秒後《やくにじゅうびょうご》。外壁垂《がいへきた》れ幕状《まくじょう》の電光掲示板《でんこうけいじばん》が設置《せっち》された百貨店《ひゃっかてん》の屋上《おくじょう》だった。

「まさに奇跡《きせき》！　これはまさしく瞬間移動《しゅんかんいどう》といえましょう!!」

(あれ？　今確《いまたし》か…)

コナンが引《ひ》っかかったのは、電光掲示板《でんこうけいじばん》を下《した》から上《うえ》に流《なが》れていた文章《ぶんしょう》。それは、『大好《だいす》きな女性大募集《じょせいだいぼしゅう》！』というものだった。文頭《ぶんとう》には、日売《にちうり》TV《テレビ》のマークの、目《め》をまわしたブタのマークがある。

文章《ぶんしょう》の違和感《いわかん》の原因《げんいん》に気《き》がついて、コナンは「!!」と目《め》を見開《みひら》いた。それと、同時《どうじ》に——キッドの瞬間移動《しゅんかんいどう》の謎《なぞ》が、ようやく解《と》けた。

コナンがたどりついたこの方法《ほうほう》ならば、二十秒《にじゅうびょう》のうちに交差点《こうさてん》からビルの屋上《おくじょう》へと移動《いどう》することが可能《かのう》だ。

蘭《らん》と園子《そのこ》は、キッドの瞬間移動《しゅんかんいどう》についてウワサし合《あ》っている。

「でもキッド…今日《きょう》はどこにテレポートするんだろ⁉」

「さあ…さすがに昨日《きのう》と同《おな》じビルは避《さ》けるだろうけど…ひょっとしたらあのヘリの中《なか》だったりして！」

「まさかぁ…」

園子《そのこ》の冗談《じょうだん》を、蘭《らん》が笑《わら》って流《なが》そうとする。

コナンはすかさず、「んじゃ行《い》ってみる？」と、口《くち》を挟《はさ》んだ。

「ボク知《し》ってるよ！　今夜《こんや》怪盗《かいとう》キッドがテレポートする場所《ばしょ》！」


コナンの言葉《ことば》に、蘭《らん》と園子《そのこ》はそろって目《め》を丸《まる》くした。

「ええっ⁉　今夜《こんや》キッドがテレポートする場所《ばしょ》を知《し》ってる？　マジで⁉」

「それってどこなのコナン君《くん》？」

二人《ふたり》が、信《しん》じられないという表情《ひょうじょう》で、コナンの顔《かお》をのぞきこむ。

「さっき園子姉《そのこねえ》ちゃんが言《い》ってたじゃない！　あの飛《と》んでるヘリコプターのどれかだよ！」

そう言《い》って、コナンはヘリコプターの方《ほう》を見上《みあ》げた。

「ウソ…」

園子《そのこ》が、ぱちぱちと目《め》をしばたく。

コナンは、むじゃきな表情《ひょうじょう》で、園子《そのこ》を見上《みあ》げた。

「ホラ、前《まえ》にキッドが空中歩行《くうちゅうほこう》した事件《じけん》があったでしょ？　あれって実《じつ》は、キッドの仲間《なかま》が操縦《そうじゅう》するヘリコプターに吊《つ》られてたってトリックだったじゃない！　だから昨夜《ゆうべ》の瞬間《しゅんかん》移動《いどう》も、ヘリコプターにこっそり乗《の》り込《こ》んだキッドの仲間《なかま》が空《そら》からキッドを吊《つ》り上《あ》げてそーっと近《ちか》くのビルの屋上《おくじょう》に降《お》ろしたんだよ！　まるでテレポートしたみたいにね！」

「ブァカねぇ!!　んなわけないわよ!!」

コナンの推理《すいり》を、園子《そのこ》が力《ちから》いっぱい否定《ひてい》した。

「前回《ぜんかい》の事《こと》もあったから、次郎吉《じろきち》おじ様《さま》はヘリの操縦士《そうじゅうし》を入念《にゅうねん》にチェックしてたし、昨日《きのう》と違《ちが》って今日《きょうと》飛んでるのは警察《けいさつ》のヘリ！　キッドの仲間《なかま》がそう簡単《かんたん》に紛《まぎ》れ込《こ》めるわけないじゃない！」

園子《そのこ》はまくしたてながら、交差点《こうさてん》にあふれるキッドファンたちを指《ゆび》さした。

「それによーく見《み》てみなさいよ！　キッドが狙《ねら》うミュールの周《まわ》りにひしめくあの大群衆《だいぐんしゅう》

を!! 四方《しほう》を網《あみ》で囲《かこ》まれた錦座《きんざ》4丁目《ちょうめ》の交差点《こうさてん》の中《なか》に200人以上《にんいじょう》いるわ！ この中《なか》でキッドが空《そら》に吊《つ》られたら誰《だれ》かが見《み》てるってーの！」

ひといきに言《い》うと、園子《そのこ》は両手《りょうて》を腰《こし》にあてて、ため息《いき》をついた。

「所詮《しょせん》、ガキの浅知恵《あさぢえ》ね…」

「残念《ざんねん》だけど園子《そのこ》の言《い》う通《とお》りだと思《おも》うよ…」

蘭《らん》になぐさめられ、コナンは「そっかー…」といかにも残念《ざんねん》そうに眉《まゆ》を下《さ》げた。

「結構《けっこう》イイセンいってると思《おも》ったんだけど…また初《はじ》めから考《かんが》え直《なお》さなきゃダメだね…」

そうつぶやいたコナン。彼《かれ》が着《き》ているタートルネックのうなじ側《がわ》には、小《ちい》さな盗聴機《とうちょうき》がしこまれている。

さっき接触《せっしょく》したときに、キッドにつけられたものだ。コナンは、自分《じぶん》に盗聴器《とうちょうき》がしこまれていることを知《し》っていて、蘭《らん》と園子《そのこ》の会話《かいわ》をわざとキッドに聞《き》かせていたのだった。

コナンがまだ瞬間移動《テレポーテーション》のトリックに気《き》づいていないと、キッドに思《おも》い込《こ》ませるために。

あたりが暗《くら》くなり、キッドファンたちのテンションはいよいよ最高潮《ピーク》に達《たっ》しつつあった。

あちこちから「キッド！　キッド！」と熱《あつ》いキッドコールがわきあがる。

「さあ、夜《よる》の帳《とばり》も落《お》ちて参《まい》りました！」

予告《よこく》の時間《じかん》が近《ちか》づき、屋上《おくじょう》に待機《たいき》していたTV局《テレビきょく》のスタッフたちが中継《ちゅうけい》を始《はじ》めた。

「キッドコールが沸《わ》き上《あ》がる中《なか》、はたしてキッドは昨夜《ゆうべ》と同《おな》じく交差点《こうさてん》の真《ま》ん中《なか》に展示《てんじ》された伝説《でんせつ》のミュール…『紫紅の爪《パープル・ネイル》』を手中《しゅちゅう》にし、今夜《こんや》もあの奇跡《きせき》の瞬間移動《しゅんかんいどう》を…成《な》し遂《と》げる事《こと》が出来《でき》るのでしょう…か？」

ヒュオ、と強《つよ》い風《かぜ》が吹《ふ》き抜《ぬ》け、アナウンサーははっと息《いき》をのんだ。

視線《しせん》を上《あ》げれば、怪盗《かいとう》キッドの白《しろ》いハンググライダーが、夜空《よぞら》を切《き》り裂《さ》いてこちらへ向《む》かってくるところだ。

「怪盗《かいとう》キッドです!!　怪盗《かいとう》キッドが姿《すがた》を現《あらわ》しましたー!!」

キッドファンたちから、ワッと歓声《かんせい》があがる。

中森警部《なかもりけいぶ》は「おのれキッドめ！　今日《きょう》こそは…」と武者震《むしゃぶる》いしてハンググライダーをにらみ上《あ》げた。

「よう見《み》てみィ中森警部《なかもりけいぶ》！　ハンググライダーの尻《しり》のプロペラを！　あれはダミーじゃ！」

次郎吉《じろきち》が苦々《にがにが》しげに言《い》う。

「おそらく彼奴《きゃつ》は昨夜《ゆうべ》と同様《どうよう》にダミーを上空《じょうくう》で爆発《ばくはつ》させ、その隙《すき》に群衆《ぐんしゅう》から抜《ぬ》け出《だ》して展《てん》示台《じだい》に飛《と》び乗《の》る魂胆《こんたん》じゃよ！」

言《い》われてみれば確《たし》かに、ハンググライダーの後方《こうほう》でプロペラがまわっていた。いつもキッドが使《つか》うハンググライダーには、そんなものついていない。それに、キッド自身《じしん》の身体《からだ》も、どこか不自然《ふしぜん》に硬直《こうちょく》しているように見《み》えた。おそらく人形《にんぎょう》にキッドの衣装《いしょう》を着《き》せてハンググライダーにくくりつけ、キッド本人《ほんにん》に見《み》せかけているのだろう。

「じゃから彼奴《きゃつ》は…この群衆《ぐんしゅう》の中《なか》のどこかで…その機会《きかい》を…」

次郎吉《じろきち》と中森警部《なかもりけいぶ》は、周囲《しゅうい》を警戒《けいかい》して身体《からだ》を固《かた》くした。

その二人《ふたり》の背後《はいご》で、ダミーと思《おも》われた怪盗《かいとう》キッドのハンググライダーが、ゆっくりと「紫紅の爪《パープル・ネイル》」に近《ちか》づいていく。

そして、キッドが、軽《かろ》やかに台座《だいざ》の上《うえ》へと降《お》り立《た》った。

「か、怪盗《かいとう》キッド!!?」

次郎吉《じろきち》も中森警部《なかもりけいぶ》も、度肝《どぎも》を抜《ぬ》かれた。

ダミーではなく、本物《ほんもの》の怪盗《かいとう》キッドだったのだ！

身体《からだ》の動《うご》きが不自然《ふしぜん》に見《み》えたのは、キッドの演技《えんぎ》だったようだ。

「長《なが》らくお待《ま》たせいたしました…」

キッドは、芝居《しばい》がかった口調《くちょう》で、交差点《こうさてん》の人々《ひとびと》に語《かた》りかけた。

「では昨夜同様《さくやどうよう》、我《わ》が肢体《したい》が時空《じくう》を越《こ》える様《さま》を…とくと御堪能《ごたんのう》あれ…」

そう言《い》って、キッドはミュールをジャケットの内側《うちがわ》にしまった。

ワァッと歓声《かんせい》があがる。キッドの登場《とうじょう》があまりに鮮《あざ》やかで、警備《けいび》にあたっていた警官《けいかん》たちはみな、圧倒《あっとう》されて動《うご》けずにいた。

「おい何《なに》をしている!?　早《はや》くキッドを捕《つか》まえんか!!」

中森警部《なかもりけいぶ》が声《こえ》を張《は》り上《あ》げる。

警官《けいかん》たちははっと我《われ》に返《かえ》って、キッドに飛《と》びかかろうとした。

「捕《つか》まえたければどうぞ!　ただし、その手《て》を決《けっ》して離《はな》さない事《こと》…」

キッドはそう言《い》ってニヤリと笑《わら》うと、近《ちか》くにいた機動隊員《きどうたいいん》に、ぐっと顔《かお》を近《ちか》づけた。

「瞬間移動中《しゅんかんいどうちゅう》に振《ふ》り落《お》とされ、時空《じくう》の間《はざま》をさ迷《まよ》う羽目《はめ》になりますから…」

時空《じくう》の間《はざま》をさ迷《まよ》う――そんな世迷事《よまいごと》も、この大怪盗《だいかいとう》が口《くち》にすると、真実味《しんじつみ》を帯《お》びて聞《き》こえてしまう。

思《おも》わず機動隊員《きどうたいいん》がひるんだ隙《すき》に、ポン!　と音《おと》をたてて、キッドはまた煙《けむり》とともに消《き》えてしまった。

「くそっ!!」

中森警部《なかもりけいぶ》がいまいましげに舌打《したう》ちする。

「まだじゃ!!　まだ煙幕《えんまく》と共《とも》に群衆《ぐんしゅう》の中《なか》に紛《まぎ》れ込《こ》んだに過《す》ぎん!!」

次郎吉《じろきち》が声《こえ》を張《は》り上《あ》げて、警官《けいかん》たちに言《い》い聞《き》かせる。

「捜《さが》せぇ!!!」

中森警部《なかもりけいぶ》も怒号《どごう》を響《ひび》かせた。


キッドは、黒《くろ》いマントをかぶり、群衆《ぐんしゅう》の中《なか》を駆《か》け抜《ぬ》けていた。煙《けむり》と音《おと》で周囲《しゅうい》の目《め》をそらした隙《すき》にマントをかぶって、周囲《しゅうい》の人混《ひとご》みに紛《まぎ》れ込《こ》んだのだ。

人々《ひとびと》の間《あいだ》をすり抜《ぬ》けるように走《はし》り、昨晩瞬間移動《さくばんテレポーテーション》したビルへと向《む》かう。

「ねぇキッドテレポートした?」

「見《み》えねぇよ!　もっと前《まえ》に出《で》ねぇと…」

キッドファンたちは、いつキッドが再《ふたた》び姿《すがた》を現《あらわ》すかに気《き》を取《と》られていて、誰《だれ》も、キッドが近《ちか》くにいることに気《き》がついていないようだ。

キッドは、百貨店《ひゃっかてん》の外壁《がいへき》に設置《せっち》された電光掲示板《でんこうけいじばん》の真下《ました》に立《た》つと、無線機《むせんき》に向《む》かって話《はな》しかけた。

「よーし！　こっちはOK《オーケー》！　始《はじ》めてくれ!!」

『了解《りょうかい》！』

無線機《むせんき》から、少《すこ》し歳《とし》をとった男性《だんせい》の声《こえ》が返事《へんじ》をする。

すると、キッドの身体《からだ》がふわりと浮《う》き上《あ》がった。

「んじゃ…まずは…一発目《いっぱつめ》！」

キッドは、交差点《こうさてん》の人々《ひとびと》の上《うえ》へ、トランプ銃《じゅう》を撃《う》った。

銃口《じゅうこう》から飛《と》び出《だ》したカードは、くるくると回転《かいてん》しながら飛《と》んでいき、ヒラリと人々《ひとびと》の間《あいだ》に落下《らっか》した。

「おいこれ…キッドのカード!!」

「何《なに》か書《か》いてあんのか？」

落《お》ちたカードを拾《ひろ》った人《ひと》たちが、さっそく騒《さわ》ぎ始《はじ》める。カードの裏《うら》には、昨日《きのう》と同《おな》じく、カウントダウンの数字《すうじ》が英語《えいご》で書《か》かれていた。

「Three《スリー》?」

キッドは立《た》て続《つづ》けに、二枚《にまい》のカードを放《はな》った。

カードを拾《ひろ》った人《ひと》たちが、裏《うら》に書《か》かれた数字《すうじ》を読《よ》み上《あ》げる。

「Two《トゥー》…」

「One《ワン》!」

カウントダウンと共《とも》に、キッドは背後《はいご》の電光掲示板《でんこうけいじばん》に沿《そ》うようにして、上空《じょうくう》へ向《む》かって
魔法《まほう》のように昇《のぼ》っていく。

今夜《こんや》の奇跡《きせき》も、完成間近《かんせいまぢか》だ。

成功《せいこう》を確信《かくしん》し、キッドは上《うえ》に昇《のぼ》りながら「ハッハッハ…」と笑《わら》い声《ごえ》をあげた。

――その時《とき》。

「Zero《ゼロ》…」

屋上《おくじょう》に立《た》った人影《ひとかげ》が、低《ひく》い声《こえ》でカウントダウンを締《し》めくくった。

はっと視線《しせん》を上《あ》げれば、江戸川《えどがわ》コナンが、満月《まんげつ》を背《せ》にしてこちらを見下《みお》ろしている。

「残念《ざんねん》だが…今夜《こんや》のマジックショーはタダ働《ばたら》き…。報酬《ほうしゅう》は0《ゼロ》だぜ…月下《げっか》の奇術師《きじゅつし》さんよ!」

キッドは、無線《むせん》に向《む》かってとっさに叫《さけ》んだ。

「重《おも》りを捨《す》てろ!!」

『え?』

「早《はや》く!!!」

キッドの指示《しじ》に従《したが》い、手下《てした》が重《おも》りを投《な》げ捨《す》てた。

ドサッというにぶい物音《ものおと》を聞《き》いて、キッドファンたちが不思議《ふしぎ》そうに振《ふ》り返《かえ》る。

「なっ? 何《なに》よこれ…」

「砂《すな》の入《はい》った袋《ふくろ》みたいだが…でも…どこから?」

重《おも》りを見《み》つけた人《ひと》たちが、不思議《ふしぎ》そうにあたりを見《み》まわす。


手下《てした》が重《おも》りを捨《す》てたことにより、屋上《おくじょう》に向《む》かって上昇《じょうしょう》していたキッドは、途中《とちゅう》で停止《ていし》してしまった。

キッドは、屋上《おくじょう》から吊《つ》り下《さ》がったワイヤーをつかむと、電光掲示板《でんこうけいじばん》に対《たい》して垂直《すいちょく》の姿勢《しせい》で踏《ふ》ん張《ば》り、壁《かべ》の上《うえ》に立《た》つようにしてバランスを保《たも》った。

屋上《おくじょう》のフェンスの前《まえ》に立《た》ったコナンが、意気揚々《いきようよう》とキッドに語《かた》りかける。

「瞬間移動《しゅんかんいどう》のトリックは極《きわ》めて単純《たんじゅん》！　井戸《いど》とかに使《つか》われている滑車《かっしゃ》の原理《げんり》さ！　まずTV局《テレビきょく》のスタッフに紛《まぎ》れ込《こ》ませたお前《まえ》の仲間《なかま》に、撮影《さつえい》の隙《すき》を見《み》てこの２つの滑車《かっしゃ》を屋上《おくじょう》の柵《さく》に付《つ》けさせ、それに渡《わた》すワイヤーの片方《かたほう》を仲間《なかま》につなぎ、もう片方《かたほう》の先《さき》にはフックを付《つ》けてビルの下《した》まで垂《た》らす…」

コナンが言《い》うように、電光掲示板《でんこうけいじばん》の真上《まうえ》の屋上《おくじょう》の柵《さく》には、ワイヤーを通《とお》したフック付《つ》きの滑車《かっしゃ》が引《ひ》っかかっている。滑車《かっしゃ》は、ビルの右側側面《みぎがわそくめん》の柵《さく》にも引《ひ》っかかっていて、両方《りょうほう》の滑車《かっしゃ》の中《なか》を一本《いっぽん》のワイヤーが通《とお》っていた。電光掲示板側《でんこうけいじばんがわ》のワイヤーの先端《せんたん》はキッド、そしてもう片方《かたほう》は、垂《た》れ幕《まく》の下《した》に隠《かく》れているキッドの手下《てした》と結《むす》ばれているのだろう。

「後《あと》は展示台《てんじだい》から消《き》え、群衆《ぐんしゅう》をかき分《わ》けてビルの下《した》まで辿《たど》り着《つ》いたお前《まえ》がそのフックを体《からだ》に引《ひ》っ掛《か》け、その合図《あいず》を待《ま》って仲間《なかま》がビルから飛《と》び降《お》りるだけ。仲間《なかま》の体重《たいじゅう》を重《おも》りでお前《まえ》より少《すこ》し重《おも》くなるように調節《ちょうせつ》しておけば…滑車《かっしゃ》の原理《げんり》でお前《まえ》の体《からだ》はみるみるうちに屋上《おくじょう》へ到達《とうたつ》し、素早《すばや》く滑車《かっしゃ》を回収《かいしゅう》して瞬間移動《しゅんかんいどう》したかの如《ごと》く出現《しゅつげん》できるってわけだ！」

キッドが現《あらわ》れた時《とき》、屋上《おくじょう》にはTV局《テレビきょく》のスタッフがいた。観客《かんきゃく》が少《すく》ないとやる気《き》が出《で》ない、とメッセージをよこして中継《ちゅうけい》を再開《さいかい》させたのは、スタッフの中《なか》に紛《まぎ》れた手下《てした》を屋上《おくじょう》に行《い》かせるためだったのだ。

「まぁTV局《テレビきょく》のスタッフは下《した》の大騒《おおさわ》ぎを中継《ちゅうけい》するのに手《て》いっぱい。スタッフ一人抜《ひとりぬ》け出《だ》して柵《さく》を越《こ》えても気《き》づかれないだろうし、滑車《かっしゃ》の音《おと》もこの歓声《かんせい》で消《け》されちまう…」

コナンの視線《しせん》の先《さき》では、アナウンサーやカメラマンが、柵《さく》から身《み》を乗《の》り出《だ》して交差点《こうさてん》の方《ほう》をのぞきこんでいる。中継《ちゅうけい》を続《つづ》けることに必死《ひっし》で、スタッフが一人抜《ひとりぬ》け出《だ》したことも、屋上《おくじょう》にコナンがいることにも気《き》がついていないようだ。

「問題《もんだい》は二人《ふたり》の人間《にんげん》が上下《じょうげ》する様子《ようす》を下《した》の群衆《ぐんしゅう》に気《き》づかせない事《こと》…降《お》りる仲間《なかま》はデパートにかかった垂《た》れ幕《まく》の中《なか》を通《とお》し隠《かく》すとしても…上下《じょうげ》する二人《ふたり》がすれ違《ちが》える程《ほど》この垂《た》れ幕《まく》には幅《はば》がない…。しかもお前《まえ》には群衆《ぐんしゅう》の視線《しせん》をこのビルから外《そ》らすために…カードを群衆《ぐんしゅう》に向《む》けて放《はな》つって役目《やくめ》もあるから、幕《まく》の裏《うら》に隠《かく》れる訳《わけ》にはいかなかった…。そこで考《かんが》えたのがこの文字《もじ》ニュース！　元々下《もともとした》から上《うえ》に動《うご》いている文字《もじ》に合《あ》わせて上昇《じょうしょう》すれば群衆《ぐんしゅう》の目《め》は欺《あざむ》けるってわけだ！」

「なるほど？　さっき盗聴器《とうちょうき》から聞《き》こえたお前《まえ》の推理《すいり》は、オレを油断《ゆだん》させるためのフェイク…文字《もじ》ニュースの絡繰《からくり》に気《き》づいてたのか…」

キッドの口調《くちょう》には余裕《よゆう》があったが、その瞳《ひとみ》には焦《あせ》りの色《いろ》がまじっている。

「ああ…、文字《もじ》ニュースの内容《ないよう》でな！　昨夜《ゆうべ》お前《まえ》がこのビルの屋上《おくじょう》に出現《しゅつげん》する直前《ちょくぜん》に流《なが》れたニュースは『大好《だいす》きな女性大募集《じょせいだいぼしゅう》』！　何《なに》が好《す》きなのか意味不明《いみふめい》だろ？　それでこのトリックが読《よ》めたんだよ…。あれは『大好《だいす》き』じゃなくて『犬好《いぬず》き』！　『犬《いぬ》』の点《てん》の所《ところ》に黒《くろ》い服《ふく》を纏《まと》ったお前《まえ》が隠《かく》れて上昇《じょうしょう》してるってな！」

コナンがそのことに気《き》が付《つ》いたのは、園子《そのこ》が持《も》っていた携帯《けいたい》TV《テレビ》の中継《ちゅうけい》を見《み》た時《とき》だった。それから、「どうしてキッドっていつも白《しろ》い格好《かっこう》をしてるのかなぁ？」という、何気《なにげ》ない蘭《らん》の『大好《だいす》きな女性大募集《じょせいだいぼしゅう》』という広告《こうこく》の文字《もじ》が、映像《えいぞう》の中《なか》にばっちり映《うつ》っていたのだ。それ疑問《ぎもん》も、キッドのトリックを見破《みやぶ》るヒントになった。

「そう、黒《くろ》い服《ふく》…やっとわかったよ…お前《まえ》がなぜ人目《ひとめ》につきやすい非合理的《ひごうりてき》なあの白《しろ》い格《かっ》好《こう》で登場《とうじょう》するか…。あれは大胆不敵《だいたんふてき》でも何《なん》でもない…隠《かく》れやすいからだ!!　人《ひと》は誰《だれ》しも白《しろ》い物《もの》が目《め》の前《まえ》から消《き》えれば無意識《むいしき》に白《しろ》い物《もの》はどこだと目《め》で追《お》っちまう…。白《しろ》から黒《くろ》へ早変《はやが》わりできるお前《まえ》なら当然《とうぜん》の選択《せんたく》だな…」

「ああ…」

キッドはうなずいて、マントに手《て》をかけた。その表情《ひょうじょう》からはあせりの色《いろ》が消《き》え、強気《つよき》に満《み》ちたいつもの怪盗《かいとう》キッドの雰囲気《ふんいき》に戻《もど》っている。

「それと同時《どうじ》に…暗《くら》い闇《やみ》の中《なか》から…突然白《とつぜんしろ》い物《もの》が現《あらわ》れると…ミステリアスだろ？」

そう言《い》うと、キッドは一気《いっき》に黒《くろ》いマントをはぎ取《と》った。

下《した》に着《き》た白《しろ》い衣装《いしょう》のマントが、勢《いきお》いよく風《かぜ》にはためく。

「お、おいあれ、キッドじゃね？」

「すごーい！ ビルの壁《かべ》に立《た》ってるよ‼」

キッドファンたちはすぐ気《き》が付《つ》いて、ざわめき出《だ》した。

コナンは落《お》ち着《つ》いて、キッドに声《こえ》をかけた。

「まぁ観念《かんねん》するんだな…このままお前《まえ》が上《うえ》に上《あ》がればお前《まえ》は助《たす》かるかもしれねぇが…下《した》に降《お》ろされた仲間《なかま》は警察《けいさつ》に捕《つか》まっちまう…その逆《ぎゃく》だとお前《まえ》がアウトだぜ？」

キッドはちらりと交差点《こうさてん》の方《ほう》を振《ふ》り返《かえ》った。中森警部《なかもりけいぶ》が「キッドォォ‼」と叫《さけ》びながら、人混《ひとご》みをかきわけている。

「んじゃ…真《ま》ん中《なか》で…」

キッドはトランプ銃《じゅう》を構《かま》えた。

「ま、真《ま》ん中《なか》？」

ポン、ポン、と二枚《にまい》のカードがトランプ銃《じゅう》から飛《と》び出《だ》す。

カードはくるくると回転《かいてん》しながら飛《と》び出《だ》して、屋上《おくじょう》の手《て》すりに垂《た》れ幕《まく》を結《むす》びつけていた二本《にほん》のひもをカットした。はがれ落《お》ちた垂《た》れ幕《まく》の下《した》に隠《かく》れていたキッドの手下《てした》の姿《すがた》が現《あらわ》れる。キャップで顔《かお》を隠《かく》した小柄《こがら》な男《おとこ》だ。

キッドは続《つづ》けて、自分《じぶん》の体《からだ》につないでいたワイヤーをはずし、落下《らっか》していく。

下《した》に落《お》ちながら、手下《てした》に向《む》かって「手《て》を!!」と腕《うで》を伸《の》ばす。

手下《てした》は手前《てまえ》に身《み》を乗《の》り出《だ》し、キッドの手《て》をなんとかつかんだ。

キッドは、手下《てした》と自分《じぶん》とを結《むす》んでいたワイヤーを切《き》り取《と》ると、ハンググライダーを広《ひろ》げた。

そして、二人《ふたり》はそのまま、交差点《こうさてん》に張《は》りめぐらされた網《あみ》の壁《かべ》を越《こ》えて、飛《と》んでいってしまった。

（くそ！　ギリで網《あみ》を越《こ》えて行《い》きやがった…）

またもキッドに逃《に》げられてしまった。

悔《くや》しげにキッドを見送《みおく》ったコナンだが、キッドが残《のこ》したワイヤーの先《さき》に何《なに》かが引《ひ》っかかっているのに気《き》づいて、「ん？」と目《め》を留《と》めた。

目当《めあ》ての宝石《ほうせき》では
なかったので
ミュールはお返《かえ》し
します。　怪盗《かいとう》キッド。

そう書《か》かれたカードとともに、「紫紅の爪《パープル・ネイル》」が、ワイヤーに結《むす》びつけられていた。

どうやらキッドは、ワイヤーを切《き》った時《とき》、上着《うわぎ》の内側《うちがわ》に隠《かく》していたミュールをワイヤーの先端《せんたん》に結《むす》びつけておいたようだ。

キッドと手下《てした》には逃《に》げられたものの——盗《ぬす》まれた「紫紅の爪《パープル・ネイル》」は、なんとか取《と》り戻《もど》すことができたのだった。


事件《じけん》から一夜明《いちやあ》け、小五郎《こごろう》と蘭《らん》、コナンは、朝食《ちょうしょく》を食《た》べに行《い》くために近所《きんじょ》を歩《ある》いていた。

「昨夜《ゆうべ》はお手柄《てがら》だったねコナン君《くん》！」

蘭《らん》が、にっこりとほほえんで言《い》う。

「しかしお前《まえ》よくあのビルに入《はい》れたな…」

小五郎《こごろう》に言《い》われ、コナンは「うん！」とむじゃきにうなずいた。

「子供《こども》だからチョロチョロっと…」

(まぁ…麻酔銃《ますいじゅう》で警備員《けいびいん》を眠《ねむ》らせたんだけどな…)

心《こころ》の中《なか》で、こっそりとつけ加《くわ》える。

大人気《だいにんき》の怪盗《かいとう》キッドが二晩続《ふたばんつづ》けて現《あらわ》れたとあって、朝《あさ》のニュースは事件《じけん》のことをかなりくわしく取《と》り上《あ》げていた。新聞《しんぶん》でもきっと大《おお》きな扱《あつか》いになっていることだろう。

売店《ばいてん》の店頭《てんとう》に並《なら》んだ新聞《しんぶん》を見《み》つけ、小五郎《こごろう》は「お！」と一部《いちぶ》を抜《ぬ》き取《と》った。

「朝刊《ちょうかん》に出《で》てるな！『鈴木次郎吉氏大勝利《すずきじろきちしだいしょうり》!!』これで、あのジイさんも枕《まくら》を高《たか》くして寝《ね》れるだろ！　顔写真《かおじゃしん》もでっかく載《の》ってるし…」

「いや…微妙《びみょう》かも…」

記事《きじ》をのぞきこんだ蘭《らん》の顔《かお》が引《ひ》きつる。

「あ…」

記事《きじ》を見《み》なおして、小五郎《こごろう》も気《き》まずそうな顔《かお》になった。

写真《しゃしん》にメインで写《うつ》っていたのは、次郎吉《じろきち》ではなく、またもや江戸川《えどがわ》コナンだったのだ。コナンの肩《かた》を抱《だ》いて上機嫌《じょうきげん》の次郎吉《じろきち》も、いちおう、顔半分《かおはんぶん》だけ写《うつ》ってはいるものの、完全《かんぜん》に添《そ》えもの扱《あつか》いだ。しかも写真《しゃしん》の下《した》には、『勝利《しょうり》の立役者《たてやくしゃ》はやっぱりこの少年《しょうねん》　江戸川《えどがわ》コナン君《くん》！』と余計《よけい》な見出《みだ》しまである。

鈴木邸《すずきてい》で朝刊《ちょうかん》をチェックしていた次郎吉《じろきち》は、

(儂《わし》…見切《みき》れてるし…)

と、すっかりションボリしてしまっていた。

怪《かい》盗《とう》キッドVS京《きょう》極《ごく》真《まこと》

DETECTIVE CONAN

KID THE PHANTOM THIEF SELECTION

とある週末《しゅうまつ》。

鈴木園子《すずきそのこ》は、ボーイフレンドの京極真《きょうごくまこと》を自宅《じたく》に招《まね》いて両親《りょうしん》に紹介《しょうかい》していた。

京極《きょうごく》は、園子《そのこ》より一学年上《いちがくねんうえ》の高校三年生《こうこうさんねんせい》。褐色《かっしょく》の肌《はだ》に黒縁《くろぶち》の眼鏡《めがね》をかけ、左眉《ひだりまゆ》の上《うえ》には、いつも絆創膏《ばんそうこう》を貼《は》っている。謙虚《けんきょ》で礼儀正《れいぎただ》しく、物腰《ものごし》もやわらかで、どこからどう見《み》ても、おだやかな好青年《こうせいねん》にしか見《み》えない。

だから、

「400戦無敗《せんむはい》？　空手《からて》の世界大会《せかいたいかい》で？」

京極《きょうごく》の戦績《せんせき》を聞《き》いた園子《そのこ》の父親《ちちおや》の鈴木史郎《すずきしろう》は、目《め》を丸《まる》くしてしまった。

そう、実《じつ》は京極《きょうごく》は、世界的《せかいてき》に有名《ゆうめい》な空手《からて》の選手《せんしゅ》なのだ。犯人《はんにん》を回《まわ》し蹴《げ》り一発《いっぱつ》で気絶《きぜつ》させたり、至近距離《しきんきょり》から発射《はっしゃ》されたライフルの弾《たま》を見切《みき》ってによけたり、日本刀《にほんとう》を一蹴《ひとけ》りで折《お》ったりと、恐《おそ》ろしいほどの腕前《うでまえ》を持《も》っている。武器《ぶき》を持《も》って襲《おそ》いかかってくる五十人以上《ごじゅうにんいじょう》もの男《おとこ》たちを、蘭《らん》と二人《ふたり》で全滅《ぜんめつ》させてしまったこともあるほどだ。

普段《ふだん》は実直《じっちょく》な男子高校生《だんしこうこうせい》なのだが、ひとたび戦《たたか》いが始《はじ》まると目《め》つきが変《か》わり、人間離《にんげんばな》れした戦闘力《せんとうりょく》で次々《つぎつぎ》と敵《てき》を倒《たお》していく。そんなギャップも、京極真《きょうごくまこと》の魅力《みりょく》の一《ひと》つだ。向《む》かうところ敵《てき》なしの武人《ぶじん》でありながら、性格《せいかく》はまじめでまっすぐ——そんな、娘《むすめ》のボーイフレンドにするにはピッタリの男《おとこ》を紹介《しょうかい》されて、史郎《しろう》はすっかり上機嫌《じょうきげん》だった。

「その記録《きろく》、どこまで伸《の》びるか楽《たの》しみですな！」

史郎《しろう》が声《こえ》を弾《はず》ませて言《い》うと、京極《きょうごく》は「あ、いえ…」と不器用《ぶきよう》に苦笑《にがわら》いした。

「残念《ざんねん》ながらこの前《まえ》の大会《たいかい》に参加《さんか》できず不戦敗《ふせんぱい》になってしまったので…」

「わたしの為《ため》に大会《たいかい》すっぽかして来《き》てくれたのよ!!」

園子《そのこ》が得意《とくい》げに言《い》うと、史郎《しろう》は「ホォー！」とますます感心《かんしん》した。

以前《いぜん》、園子《そのこ》は京極《きょうごく》に、デートの日時《にちじ》と待《ま》ち合《あ》わせ場所《ばしょ》を伝《つた》えるため、流行《はや》りのドラマにかこつけて暗号《あんごう》めいたメッセージを送《おく》ったことがあった。しかし京極《きょうごく》は、待《ま》ち合《あ》わせの場所《ばしょ》はわかったものの、日時《にちじ》がいつなのかを突《つ》き止《と》めることができなかった。困《こま》った京極《きょうごく》は、待《ま》ち合《あ》わせ場所《ばしょ》にテントを張《は》って寝《ね》泊《と》まりしながら、園子《そのこ》が来《く》るのを待《ま》つことにした。結果《けっか》、欧州《ヨーロッパ》空手《からて》道《どう》王者《おうじゃ》選手権《せんしゅけん》をすっぽかすことになってしまったのだが、そのおかげで事件《じけん》に巻《ま》き込《こ》まれ犯人《はんにん》たちに襲《おそ》われた園子《そのこ》と蘭《らん》、そしてコナンを助《たす》けることができたのだ。

「それがなきゃまだまだ不敗神話《ふはいしんわ》は続《つづ》いてたんだから!!」

誇《ほこ》らしげに言《い》うと、園子《そのこ》は京極《きょうごく》の腕《うで》をぎゅっと抱《だ》きしめた。

途端《とたん》に、京極《きょうごく》の顔《かお》がぽっと赤《あか》らむ。『蹴撃《しゅうげき》の貴公子《きこうし》』『孤高《ここう》の拳聖《けんせい》』などと物騒《ぶっそう》な異名《いみょう》を数多《かずおお》く持《も》つ京極《きょうごく》だが、年下《としした》のガールフレンドには敵《かな》わないらしい。

和《なご》やかな会話《かいわ》に、園子《そのこ》の母親《ははおや》の鈴木朋子《すずきともこ》が重々《おもおも》しく口《くち》を挟《はさ》んだ。

「でも…我《わ》が鈴木家《すずきけ》に武力《ぶりょく》は無用《むよう》…」

そう言《い》うと、朋子《ともこ》はバンとテーブルをたたいて、「貴方《あなた》！」と京極《きょうごく》に詰《つ》め寄《よ》る。

「この鈴木財閥《すずきざいばつ》を背負《しょ》って立《た》つ覚悟《かくご》はおありになりますの？」

「え？」

「これ朋子《ともこ》！　そんな話《はなし》は早《はや》いよ！　二人《ふたり》はまだ高校生《こうこうせい》なんだから…」

史郎《しろう》がとがめるが、朋子《ともこ》の態度《たいど》はゆるがなかった。

「いいえ、長女《ちょうじょ》の綾子《あやこ》が富沢家《とみざわけ》に嫁《とつ》ぐと決《き》まったからには…跡継《あとつ》ぎはもう園子《そのこ》の伴侶《はんりょ》となる殿方《とのがた》に婿入《むこい》りして頂《いただ》くしかありませんわ！」

園子《そのこ》の姉《あね》・綾子《あやこ》は、学生時代《がくせいじだい》に鈴木家《すずきけ》のパーティーで知《し》り合《あ》った富沢雄三《とみざわゆうぞう》とすでに婚約《こんやく》している。そのため、朋子《ともこ》は、園子《そのこ》が鈴木財閥《すずきざいばつ》の跡取《あとと》りにふさわしい男性《だんせい》と結婚《けっこん》することを期待《きたい》しているのだった。

「本来《ほんらい》ならお家柄《いえがら》と学歴《がくれき》を吟味《ぎんみ》して…我《わ》が鈴木家《すずきけ》に相応《ふさわ》しい方《かた》をと思《おも》っておりましたのに…まだ高校生《こうこうせい》の分際《ぶんざい》で武者修行《むしゃしゅぎょう》の為《ため》に海外留学《かいがいりゅうがく》してる風来坊《ふうらいぼう》と付《つ》き合《あ》ってるですって⁉
何考《なにかんが》えてるの園子《そのこ》⁉」

朋子《ともこ》の猛獣《もうじゅう》のような剣幕《けんまく》に、京極《きょうごく》はぎょっとして思《おも》わず身体《からだ》を引《ひ》いた。

しかし、園子《そのこ》は動《どう》じず、

「そんなのわたしの勝手《かって》でしょ？」

と、冷静《れいせい》に言《い》い返《かえ》した。

「わたし、この家継《いえつ》ぐ気《き》ないし――…」

「貴方《あなた》ねえ…」

母娘《おやこ》で言《い》い合《あ》いが始《はじ》まりそうな雰囲気《ふんいき》になってしまい、史郎《しろう》は「まぁまぁ…」と間《あいだ》に入《はい》ってなだめた。

「真君《まことくん》…そろそろ帰《かえ》りの飛行機《ひこうき》の時間《じかん》だ！ 空港《くうこう》まで車《くるま》で送《おく》らせよう…この話《はなし》はまた今度《こんど》という事《こと》で…」

「あ、はい…」

恐縮《きょうしゅく》しつつソファから立《た》ち上《あ》がった京極《きょうごく》に、史郎《しろう》がこっそりと耳打《みみう》ちした。

「次《つぎ》の大会《たいかい》が決《き》まったら教《おし》えてくれ！　こう見《み》えて私《わたし》、格闘技好《かくとうぎず》きだから…」

「ええ…」

京極《きょうごく》が、ほっとしたようにうなずく。男同士《おとこどうし》、史郎《しろう》はすっかり京極《きょうごく》に心《こころ》を許《ゆる》しているようだ。

問題《もんだい》は、朋子《ともこ》の方《ほう》だった。園子《そのこ》はまだ朋子《ともこ》とにらみ合《あ》っていたが、スマホがブーブーと着信《ちゃくしん》を告《つ》げたのに気《き》づくと、

「あ…蘭《らん》から電話《でんわ》…」

と、朋子《ともこ》を無視《むし》して電話《でんわ》に出《で》た。

「ちょっと！　私《わたし》の話《はなし》はまだ…」

「もしもーし…」

しばらく蘭《らん》と話《はな》したあと、園子《そのこ》はぱっと顔《かお》を輝《かがや》かせた。

「え？　怪盗《かいとう》キッドが!?」

「そうなのよ――！　キッドがまた鈴木次郎吉相談役《すずきじろきちそうだんやく》の宝石《ほうせき》を狙《ねら》って予告状出《よこくじょうだ》したって…今《いま》、TV《テレビ》のニュースでやってるよ！」

蘭《らん》は毛利探偵事務所《もうりたんていじむしょ》で、TV《テレビ》を見《み》ながら園子《そのこ》に電話《でんわ》をかけていた。

「ウソォ、マジで？　ガチで⁉　じゃあさっそく次郎吉《じろきち》おじ様《さま》に電話《でんわ》してみるねー！」

「あ、ちょっ…」

園子《そのこ》が、せわしなく電話《でんわ》を切《き》る。

毛利探偵事務所《もうりたんていじむしょ》から電話《でんわ》をかけていた蘭《らん》は、「もォー」と、ため息《いき》まじりに携帯《けいたい》を見《み》つめた。

「今日《きょう》は京極《きょうごく》さんがいるからいつものようにはしゃがないでって電話《でんわ》だったのに…」

二人《ふたり》のやり取《と》りを隣《となり》で聞《き》いていたコナンは、（逆効果《ぎゃくこうか》だな…）とあきれてしまった。園《その》子《こ》は相変《あいか》わらず、大《だい》のキッドファンなのだ。

蘭《らん》との通話《つうわ》を終《お》えた園子《そのこ》は、続《つづ》けてすぐに、次郎吉《じろきち》に電話《でんわ》をかけた。

「もしもしおじ様《さま》？　聞《き》いたわよ！　またキッド様《さま》が来《く》るんでしょ？」

うきうきと声《こえ》を弾《はず》ませてキッドの話《はなし》をする園子《そのこ》の姿《すがた》を見《み》て、京極《きょうごく》は「……」と困惑《こんわく》に瞳《ひとみ》を揺《ゆ》らした。

（キッド様《さま》？）

園子《そのこ》がそんなふうに親愛《しんあい》を込《こ》めて呼《よ》ぶ相手《あいて》とは――いったい何者《なにもの》なのだろうか？

武者修行中《むしゃしゅぎょうちゅう》の京極《きょうごく》は、世間《せけん》を騒《さわ》がす怪盗《かいとう》キッドの存在《そんざい》を知《し》らなかった。

そのころ。

次郎吉《じろきち》は、自宅《じたく》でキッド対策《たいさく》にいそしんでいた。

しかし、結果《けっか》は――

「ひゃ、１００戦全敗《せんぜんぱい》!?　全《すべ》て突破《とっぱ》されたと申《もう》すか!?　先日完成《せんじつかんせい》したばかりの最新鋭《さいしんえい》の防《ぼう》犯《はん》システムがか!?」

「は、はい、もちろんコンピューター上《じょう》での話《はなし》ですが…今《いま》までの怪盗《かいとう》キッドの行動《こうどう》パターンを入力《にゅうりょく》してシミュレーションした結果《けっか》…み、見事《みごと》に…」

次郎吉《じろきち》に問《と》い詰《つ》められ、集《あつ》まった部下《ぶか》の一人《ひとり》が弱々《よわよわ》しく答《こた》える。

さすがの次郎吉《じろきち》も、表情《ひょうじょう》をくもらせた。

「どうする？　予告日《よこくび》は明日《あした》だぞ!?　このままじゃみすみす彼奴《きゃつ》に盗《と》られてしまうではないか…」

そう言《い》うと、次郎吉《じろきち》は表情《ひょうじょう》をけわしくして、背後《はいご》のテーブルに置《お》かれたアタッシュケースの方《ほう》を振《ふ》り返《かえ》った。ケースの中《なか》には、美《うつく》しい緑色《みどりいろ》をした大《おお》きな宝石《ほうせき》が置《お》かれている。

「儂《わし》が世界中《せかいじゅう》を駆《か》け回《まわ》ってようやっと手《て》に入《い》れたアレキサンドライト…『翠緑《すいりょく》の皇帝《こうてい》…グリーン・エンペラー』がな!!」

「し、しかしキッドの誰《だれ》にでも成《な》り済《す》ませる変装術《へんそうじゅつ》…いかなる事態《じたい》にも臨機応変《りんきおうへん》に対応《たいおう》する頭脳《ずのう》に加《くわ》え…とても人間業《にんげんわざ》とは思《おも》えない身体能力《しんたいのうりょく》をデータとして加算《かさん》すれば…」

「どんな防犯《ぼうはん》システムでも結果《けっか》は同《おな》じかと…」

部下《ぶか》たちが口々《くちぐち》に、弱音《よわね》を吐《は》く。

「なんならキッドの数値《すうち》を2割減《わりげん》にしてシミュレーションし直《なお》してみてはいかがでしょう?」

「彼《かれ》も人《ひと》の子《こ》…体調《たいちょう》の悪《わる》い日《ひ》もあるでしょうし…」

弱気《よわき》になった部下《ぶか》たちの本末転倒《ほんまつてんとう》な提案《ていあん》を、次郎吉《じろきち》は「たわけ!!」と一蹴《いっしゅう》した。

「彼奴《きゃつ》は俊敏《しゅんびん》をもって鳴《な》る大泥棒《おおどろぼう》じゃ…しかも毎回腕《まいかいうで》を上《あ》げておる…。2割増《わりま》しでも足《た》らぬぐらいじゃわい!」

息巻《いきま》いてみたところで、コンピューターによるシミュレーションの結果《けっか》は変《か》わらない。

次郎吉《じろきち》は、あきらめたように、肩《かた》の力《ちから》を抜《ぬ》いた。

「まぁ、100戦全敗《せんぜんぱい》じゃからのォ…盗《と》られるとわかって宝石《ほうせき》を公開《こうかい》するのも何《なん》じゃし…

不本意《ふほんい》じゃが今回《こんかい》は公開《こうかい》を延期《えんき》するしか…」

その時《とき》、屋敷《やしき》の警備《けいび》にあたっている男《おとこ》が「鈴木相談役《すずきそうだんやく》!!」と部屋《へや》の中《なか》に飛《と》び込《こ》んできた。

その顔《かお》は青《あお》あざだらけで、あちこち腫《は》れている。まるで誰《だれ》かになぐられたあとのようだ。

「い、今《いま》、玄関《げんかん》に…相談役《そうだんやく》に会《あ》わせろという妙《みょう》な男《おとこ》が…」


玄関《げんかん》では、京極《きょうごく》が、向《む》かってくる警備《けいび》の男《おとこ》たちを次《つぎ》から次《つぎ》へとたたきのめしていた。

ドゴッ!

京極《きょうごく》の蹴《け》りを食《く》らった男《おとこ》が、勢《いきお》いよく吹《ふ》き飛《と》んで壁《かべ》にたたきつけられ、気《き》を失《うしな》う。これでもだいぶ京極《きょうごく》は手加減《てかげん》しているのだが、並《なみ》の腕前程度《うでまえていど》ではとうてい相手《あいて》にならないようで、彼《かれ》の足元《あしもと》には警備員《けいびいん》たちが大勢《おおぜい》のびていた。

「これ以上《いじょう》の手合《てあ》わせは無益《むえき》…どうか鈴木次郎吉相談役《すずきじろきちそうだんやく》に…御目通《おめどお》り願《ねが》いたい!!」

京極《きょうごく》が静《しず》かに告《つ》げる。警備《けいび》の男《おとこ》たちが一方的《いっぽうてき》に向《む》かってくるので仕方《しかた》なく相手《あいて》をしたが、京極《きょうごく》はもともと、次郎吉《じろきち》に会《あ》いに来《き》ただけなのだ。

騒《さわ》ぎを聞《き》きつけた次郎吉《じろきち》が、「何事《なにごと》じゃ!?」と大《おお》あわてで走《はし》ってきた。

「そ、相談役《そうだんやく》!!」

京極《きょうごく》は次郎吉《じろきち》の姿《すがた》を「！」と認《みと》めると、背筋《せすじ》を伸《の》ばし、きれいな動作《どうさ》で頭《あたま》を下《さ》げた。

「我《わ》が名《な》は京極真《きょうごくまこと》…園子《そのこ》さんとお付《つ》き合《あ》いさせて頂《いただ》いている弱輩者《じゃくはいもの》でございます…」

「あ、ああ…園子《そのこ》のボーイフレンドの…」

姪《めい》っ子《こ》の彼氏《かれし》と知《し》って、次郎吉《じろきち》の顔《かお》がゆるむ。

「…して、何用《なによう》じゃ？」

「怪盗某《かいとうなにがし》が狙《ねら》う宝石《ほうせき》をあなたが所持《しょじ》しておられるとお聞《き》きし…ならば是非《ぜひ》…この京極真《きょうごくまこと》を警備陣《けいびじん》の末席《まっせき》に加《くわ》えて頂《いただ》きたいと…」

京極《きょうごく》のまっすぐな申《もう》し入《い》れを、次郎吉《じろきち》は「断《ことわ》る!!」と一刀両断《いっとうりょうだん》した。

「そ、そこを何《なん》とか…」

と、京極《きょうごく》が食《く》い下《さ》がる。

「若《わか》いのォ…どーせ園子《そのこ》が彼奴《きゃつ》に熱《ねつ》をあげておるのが解《げ》せぬのじゃろ？」

図星《ずぼし》を突《つ》かれ、京極《きょうごく》の顔《かお》が一気《いっき》に真《ま》っ赤《か》になった。

「じゃが安心《あんしん》せい！　あれは麻疹《はしか》のようなもの…」

「は、麻疹《はしか》？」

「儂《わし》が彼奴《きゃつ》を引《ひ》っ捕《と》らえた暁《あかつき》にはきれいさっぱり忘《わす》れさせてくれるわい‼」

言《い》うだけ言《い》うと、次郎吉《じろきち》は背中《せなか》を向《む》け、家《いえ》の中《なか》へ戻《もど》っていこうとする。

「あ、相談役《そうだんやく》⁉」

あわてて追《お》いかけようとする京極《きょうごく》を、「さぁ、帰《かえ》って帰《かえ》って！」と警備《けいび》の男《おとこ》が押《お》しとどめた。

その時《とき》、次郎吉《じろきち》の胸《むね》ポケットの中《なか》で携帯電話《けいたいでんわ》が鳴《な》った。園子《そのこ》からだ。

「ああ園子《そのこ》か？　丁度《ちょうど》よかっ…」

電話《でんわ》に出《で》た次郎吉《じろきち》が京極《きょうごく》のことを説明《せつめい》しようとするのを、園子《そのこ》が一足早《ひとあしはや》くさえぎった。

『ねえ、もしかしてそっちに真《まこと》さん行《い》ってない？　今《いま》、羽田空港《はねだくうこう》なんだけど…真《まこと》さんの搭《とう》乗手続《じょうてつづ》きしてたら真《まこと》さんいなくなっちゃって…』

園子《そのこ》は、空港《くうこう》のターミナルから電話《でんわ》をかけているようだった。京極《きょうごく》を本気《ほんき》で心配《しんぱい》しているらしく、声《こえ》があわてている。

『ウチの運転手《うんてんしゅ》さんにおじ様《さま》の住所《じゅうしょ》を聞《き》いてたらしいから…もしかしたらそっちに行《い》ってるかと思《おも》って…』

「…彼《かれ》はどういう男《おとこ》なんじゃ？　空手家《からてか》だとは聞《き》いておるが…」

いぶかしげに聞《き》いた次郎吉《じろきち》に、園子《そのこ》はいきおいよく答《こた》えた。

『ただの空手家《からてか》じゃないわ！　世界大会《せかいたいかい》４００戦無敗《せんむはい》!!　向《む》かう所敵無《ところてきな》しの蹴撃《しゅうげき》の貴公子《きこうし》よ!!!』

「よ…４００戦《せん》…無敗《むはい》？」

次郎吉《じろきち》が、絶句《ぜっく》する。脳裏《のうり》をよぎるのは、驚《おどろ》きと、それ以上《いじょう》の期待《きたい》だ。

四百戦無敗《よんひゃくせんむはい》の男《おとこ》なら――コンピューターのシミュレーションで百戦無敗《ひゃくせんむはい》の怪盗《かいとう》に、勝《か》てるかもしれない。


そのころ。

警視庁《けいしちょう》では、中森銀三警部《なかもりぎんぞうけいぶ》が茶木神太郎警視《ちゃきしんたろうけいし》からキッドの予告状《よこくじょう》について知《し》らされていた。茶木警視《ちゃきけいし》が言《い》うには、次郎吉《じろきち》は警察《けいさつ》による展示室《てんじしつ》の警備《けいび》を拒否《きょひ》しているらしい。

「はぁ？　宝石《ほうせき》の展示室《てんじしつ》に警備《けいび》を入《い》れないでくれ？　いったい何《なん》で？　怪盗《かいとう》キッドが盗《ぬす》みに来《く》るんですよ!?」

難色《なんしょく》を示《しめ》す中森警部《なかもりけいぶ》に、茶木警視《ちゃきけいし》はあきらめ混《ま》じりの視線《しせん》を向《む》けた。

「最新《さいしん》の防犯《ぼうはん》システムの邪魔《じゃま》になるからと、さっき鈴木相談役《すずきそうだんやく》から電話《でんわ》があったよ…」

「またあのジイさん…何考《なにかんが》えてんだ!?」

茶木警視《ちゃきけいし》は、中森警部《なかもりけいぶ》にノートパソコンの画面《がめん》を向《む》けた。

「そしてこれがその電話《でんわ》の後《あと》に送《おく》られて来《き》た映像《えいぞう》だよ…」

「え、映像《えいぞう》？」

中森警部《なかもりけいぶ》は画面《がめん》をのぞきこみ、眉《まゆ》をひそめた。

「ひ、一人《ひとり》の男《おとこ》が…拳銃《けんじゅう》を構《かま》えた奴《やつ》らに囲《かこ》まれてる!?」

銃《じゅう》を構《かま》えた十一人《じゅういちにん》もの男《おとこ》たちに囲《かこ》まれて、京極真《きょうごくまこと》が立《た》っていた。京極《きょうごく》は空手道着《からてどうぎ》を着《き》て、ガスマスクをつけている。

「もちろん弾《たま》はBB弾《ビービーだん》だが…この至近距離《しきんきょり》でこの人数《にんずう》…しかも真《ま》ん中《なか》の男《おとこ》は視界《しかい》を妨《さまた》げるガスマスクを装着《そうちゃく》している…とても避《よ》けきれんと思《おも》うだろ？」

そう言《い》って、茶木警視《ちゃきけいし》がパソコンを操作《そうさ》する。静止画《せいしが》だった画面《がめん》が動《うご》きだす。男《おとこ》たちが、ほとんど同時《どうじ》に銃《じゅう》の引《ひ》き金《がね》を引《ひ》き、BB弾《ビービーだん》が発射《はっしゃ》された。

数秒後《すうびょうご》。

京極《きょうごく》ではなく、銃《じゅう》を持《も》った男《おとこ》たちが、バタバタと気《き》を失《うしな》って倒《たお》れた。

「え〜〜〜っ⁉」

中森警部《なかもりけいぶ》は度肝《どぎも》を抜《ぬ》かれて叫《さけ》んだ。

動画《どうが》の中《なか》の京極真《きょうごくまこと》が、握《にぎ》り込《こ》んでいた両手《りょうて》のひらを開《ひら》く。すると、受《う》け止《と》めたBB弾《ビービーだん》がぽろぽろとこぼれ落《お》ちた。京極《きょうごく》が鎖《くさり》を通《とお》して首《くび》からさげていた「翠緑の皇帝《グリーン・エンペラー》」は、まったくの無傷《むきず》だ。

どうやら京極《きょうごく》は、発射《はっしゃ》されたすべてのBB弾《ビービーだん》に恐《おそ》ろしい速度《そくど》で反応《はんのう》して受《う》け止《と》め、なおかつ十一人《じゅういちにん》もの男《おとこ》たちを一度《いちど》に攻撃《こうげき》して気絶《きぜつ》させたらしい。それも、人《ひと》の目《め》で追《お》えないほどの速《はや》さで。

「彼《かれ》の名《な》は京極真《きょうごくまこと》…相談役《そうだんやく》曰《いわ》く…世界最強《せかいさいきょう》の防犯《ぼうはん》システムだそうだ…」

「せ、世界最強《せかいさいきょう》…⁉」

中森警部《なかもりけいぶ》はおののいて、動画《どうが》の中《なか》の京極《きょうごく》を改《あらた》めて見《み》つめた。

「ホラ、君《きみ》も知《し》ってるだろ？　相談役《そうだんやく》の姪御《めいご》さんの園子《そのこ》お嬢様《じょうさま》…彼女《かのじょ》の彼氏《かれし》らしいよ…」

「か、彼氏《かれし》ィ⁉」

そこにいた刑事《けいじ》たちの誰《だれ》も知《し》る由《よし》もないことだが——中森警部《なかもりけいぶ》の背後《はいご》に控《ひか》えた部下《ぶか》たちの中《なか》には、怪盗《かいとう》キッドが紛《まぎ》れ込《こ》んでいた。大胆《だいたん》にも、警視庁《けいしちょう》の刑事《けいじ》に変装《へんそう》して、中森警部《なかもりけいぶ》のすぐそばまで入《はい》り込《こ》んでいたのだ。

(フン…おもしれーじゃねーか…)

京極真《きょうごくまこと》の神業《かみわざ》を目《ま》のあたりにして、キッドは対抗心《たいこうしん》をあおられニヤリと笑《わら》った。

その夜《よる》——

京極《きょうごく》は空手道着姿《からてどうぎすがた》で、鈴木大博物館《すずきだいはくぶつかん》のメインホールにいた。明日《あした》から「翠緑の皇帝《グリーン・エンペラー》」が展示《てんじ》される予定《よてい》の場所《ばしょ》だ。

京極《きょうごく》が、鍛錬《たんれん》のために右腕《みぎうで》の親指《おやゆび》と人差《ひとさ》し指《ゆび》のみで腕立《うでた》て伏《ふ》せをしていると、朋子《ともこ》が様子《ようす》を見《み》にやってきた。

「あら…まさかこのままこの博物館《はくぶつかん》に泊《と》まる気《き》ですの？」

「ええ…この部屋《へや》の広《ひろ》さを頭《あたま》に叩《たた》き込《こ》んでおきたいので…」

京極《きょうごく》は腕立《うでた》て伏《ふ》せをやめ、外《はず》していた眼鏡《めがね》をかけながら答《こた》えた。

「まぁ寝袋《ねぶくろ》もありますし…食料《しょくりょう》も多少《たしょう》は持《も》ち合《あ》わせていますので…」

「ねぇ貴方《あなた》…」

朋子《ともこ》は、うっすらとした笑《え》みを浮《う》かべて、京極《きょうごく》に提案《ていあん》した。

「私《わたし》と賭《か》けをしませんこと？」

「賭《か》け…ですか？」


そのころ、毛利家《もうりけ》では、蘭《らん》が園子《そのこ》と電話《でんわ》で話《はな》していた。

「えぇ〜〜〜〜っ!?　京極《きょうごく》さんと怪盗《かいとう》キッドが対決《たいけつ》する事《こと》になったァ!?　ホントにィ!?」

「そうなのよ〜〜〜!!」

京極《きょうごく》のことを聞《き》いて驚《おどろ》く蘭《らん》とは対照的《たいしょうてき》に、園子《そのこ》の声《こえ》は、うきうきと弾《はず》んでいる。

「なんか真《まこと》さん、次郎吉《じろきち》おじ様《さま》に直談判《じかだんぱん》したらしいよ！　わたしの『キッド様《さま》』発言《はつげん》を聞《き》いて火《ひ》がついちゃったみたい！　わたしを巡《めぐ》って二人《ふたり》のイケメンが火花《ひばな》を散《ち》らすなんて…もォ最《さい》っ高《こ》ォ♡」

「わたしを巡《めぐ》ってってって…」

うっとりした園子《そのこ》の声《こえ》が、携帯電話《けいたいでんわ》のスピーカーを通《とお》して、蘭《らん》の隣《となり》にいるコナンの耳《みみ》にも届《とど》いてくる。

(別《べつ》にキッドは園子《そのこ》なんて眼中《がんちゅう》にねぇだろ…——)

コナンは歯《は》をみがきながら、こっそりとつっこみを入《い》れた。

「それで？　どっちに勝《か》って欲《ほ》しいのよ？　キッドと京極《きょうごく》さん…」

「そりゃーもちろん真《まこと》さんに勝《か》って欲《ほ》しいけど…キッド様《さま》には負《ま》けて欲《ほ》しくないっていうか…」

「はぁ？　何《なん》なのよそれ？　はっきりしなさいよ〜〜〜!!」

「だってぇ…真《まこと》さ…だしキッ…は…」

急《きゅう》に電話《でんわ》が遠《とお》くなり、雑音《ざつおん》がまじる。

「ちょっと園子《そのこ》？　電話《でんわ》が…」

「もしもし蘭《らん》？　蘭《らん》？」

園子《そのこ》は蘭《らん》に呼《よ》びかけたが、ブツッと音《おと》をたてて、電話《でんわ》は切《き》れてしまった。

「ウソ!?　圏外《けんがい》になってる…」

スマホの表示《ひょうじ》を確認《かくにん》して、園子《そのこ》は驚《おどろ》いた。これまで、自宅《じたく》にいて圏外《けんがい》になったことなんてなかったのに……。

「通信《つうしん》機能《きのう》抑止《よくし》装置《そうち》…」

ふいに、窓際《まどぎわ》で、落《お》ち着《つ》いた声《こえ》がした。

「こんばんはお嬢様《じょうさま》…」

顔《かお》を上《あ》げた園子《そのこ》は、思《おも》わず目《め》を見開《みひら》いた。

怪盗《かいとう》キッドが、ベランダの手《て》すりの上《うえ》に立《た》っていたのだ。三日月《みかづき》を背《せ》に、白《しろ》いマントをひるがえらせている。

「か、怪盗《かいとう》キッド!? ど、どうしてここに？」

「なーに…飛《と》び疲《つか》れて羽《はね》を休《やす》めに立《た》ち寄《よ》っただけですよ…」

キッドは、いつものキザなセリフではぐらかすと、不敵《ふてき》な笑《え》みを浮《う》かべて続《つづ》けた。

「そのついでと言《い》っては何《なん》ですが…私《わたし》と賭《か》けをして頂《いただ》けませんか？」

「賭《か》け？」


翌日《よくじつ》。

園子《そのこ》と蘭《らん》は、下校途中《げこうとちゅう》にコナンと合流《ごうりゅう》して、鈴木大博物館《すずきだいはくぶつかん》へと向《む》かっていた。歩《ある》きながら、園子《そのこ》は昨晩《さくばん》のキッドのことを二人《ふたり》に報告《ほうこく》した。

「ええっ!?　昨夜怪盗《ゆうべかいとう》キッドが来《き》たァ!?　園子《そのこ》の部屋《へや》に!?」

園子《そのこ》の話《はなし》を聞《き》いた蘭《らん》は、目《め》を丸《まる》くして驚《おどろ》いた。

「そうなのよー！　まるでピーターパンみたいに窓辺《まどべ》に立《た》っててさ――♡　ウチの警備員《けいびいん》に見《み》つかってすぐに退散《たいさん》しちゃったけど…聞《き》いてない？」

「聞《き》いてるわけないよ～～！」

蘭《らん》が不満《ふまん》げに否定《ひてい》する。

「それで？　キッドは何《なに》しに来《き》たの？」

コナンが聞《き》くと、園子《そのこ》はうっとりと目《め》を潤《うる》ませた。

「『わたしと賭《か》けをしないか？』って…『狙《ねら》いの宝石《ほうせき》をゲットした褒美《ほうび》に…あなたの唇《くちびる》も頂《いただ》きたい』ってさ♡」

(ウソだな…)

コナンが即座《そくざ》に心《こころ》の中《なか》でつぶやく。

蘭《らん》も同《おな》じことを思《おも》ったらしく、ジトッとした目《め》つきで園子《そのこ》に迫《せま》った。

「本当《ほんとう》は何《なん》て言《い》ってたのよ⁉」

「あ、ああ、ホントはね…今回《こんかい》、次郎吉《じろきち》おじ様《さま》が一般公開《いっぱんこうかい》するアレキサンドライト『翠緑の皇帝《グリーン・エンペラー》』を首尾《しゅび》よく手《て》に入《い》れる事《こと》ができたなら…鈴木財閥《すずきざいばつ》が貯蔵《ちょぞう》する美術品《びじゅつひん》の中《なか》から、自分《じぶん》が指定《してい》する一品《いっぴん》と盗《ぬす》んだその宝石《ほうせき》とを交換《こうかん》して欲《ほ》しいとおじ様《さま》に伝《つた》えてくれってさ！」

「何《なん》なの？　その一品《いっぴん》って…」

蘭《らん》が聞《き》くと、園子《そのこ》は「さぁ…」と首《くび》を傾《かし》げた。

「盗《ぬす》んでから教《おし》えるって言《い》ってたけど…」

「それで何《なん》て答《こた》えたのよ？」

「もちろん怒鳴《どな》り返《かえ》してやったわよ！　あんたみたいな悪党《あくとう》の出《だ》す条件《じょうけん》なんて…一切受《いっさいう》け付《つ》けないってね‼」

「ホントにィ〜〜？」

蘭《らん》は、疑《うたが》わしげに園子《そのこ》の顔《かお》をのぞきこんだ。

「まあ、もっとソフトな言《い》い方《かた》だったけど…」

園子《そのこ》は苦笑《にがわら》いで、つけ加《くわ》える。

コナンは、今《いま》の園子《そのこ》の話《はなし》に違和感《いわかん》を覚《おぼ》えていた。

（妙《みょう》だな…怪盗《かいとう》キッドが狙《ねら》ってるのはビッグジュエルって呼《よ》ばれてるでっかい宝石《ほうせき》だけのはず…。そんな宝石《ほうせき》を鈴木財閥《すずきざいばつ》が持《も》っているのなら、とっくにあの相談役《そうだんやく》がキッドを釣《つ》る餌《えさ》に使《つか》ってると思《おも》うけど…それに何《なん》でそんな大事《だいじ》な事《こと》を園子《そのこ》なんかに…）

「そ、それで？　その宝石《ほうせき》を守《まも》るっていう京極《きょうごく》さんは？」

「あぁ…真《まこと》さんなら…今《いま》も宝石《ほうせき》と一緒《いっしょ》よ！」

蘭《らん》に聞《き》かれて、園子《そのこ》は満面《まんめん》の笑《え》みで答《こた》えた。

「い、今《いま》もって…その宝石《ほうせき》、今日《きょう》から一般公開《いっぱんこうかい》してるんだよね？」

「ええ、これから行《い》く鈴木大博物館《すずきだいはくぶつかん》でね！」

「…まさか展示《てんじ》ケースの横《よこ》で怖《こわ》い顔《かお》して立《た》ってるとか？」

おそるおそるそう言《い》った蘭《らん》に、園子《そのこ》は、

「まぁ、行《い》けばわかるから！」

と、ウィンクした。

鈴木大博物館《すずきだいはくぶつかん》の展示《てんじ》ホールは、ざわついていた。

今日《きょう》から一般公開《いっぱんこうかい》の、アレキサンドライト「翠緑の皇帝《グリーン・エンペラー》」――その展示台《てんじだい》の上《うえ》に、空手《からて》道着姿《どうぎすがた》の京極真《きょうごくまこと》が、あぐらをかいているのだ。京極《きょうごく》は、鎖《くさり》を通《とお》した「翠緑の皇帝《グリーン・エンペラー》」を首《くび》からさげ、腕組《うでぐ》みをして、たえず周囲《しゅうい》に注意《ちゅうい》を払《はら》っていた。

「ね！」

園子《そのこ》に笑顔《えがお》を向《む》けられ、蘭《らん》は「た、確《たし》かに…」と困惑《こんわく》しつつうなずいた。

（一緒《いっしょ》だわな…）

コナンも、納得《なっとく》していた。

道着姿《どうぎすがた》の男性《だんせい》が宝石《ほうせき》を首《くび》から下《さ》げている姿《すがた》はいかにもミスマッチだ。来館客《らいかんきゃく》たちはみな、不思議《ふしぎ》なものを見《み》る目《め》つきで、アレキサンドライトを京極《きょうごく》ごと鑑賞《かんしょう》していた。

「でかしたぞ園子《そのこ》！　あのような兵《つわもの》を交際相手《こうさいあいて》に選《えら》ぶとは、さすが儂《わし》の姪《めい》っ子《こ》じゃ!!」

次郎吉《じろきち》が、上機嫌《じょうきげん》で声《こえ》をかけてきた。中森警部《なかもりけいぶ》も一緒《いっしょ》にいる。

「次郎吉《じろきち》おじ様《さま》！」

「しかしキッドの予告時間《よこくじかん》は客《きゃく》が退《ひ》けた後《あと》の午後《ごご》10時《じ》。何《なに》も今《いま》からああやって…」

中森警部《なかもりけいぶ》が、しかめっ面《つら》で次郎吉《じろきち》に文句《もんく》を垂《た》れる。

「彼《かれ》のたっての希望《きぼう》じゃよ！　予告時間通《よこくじかんどお》り盗《ぬす》んだと見《み》せかけて…実《じつ》はすでに偽物《にせもの》とすり替《か》わっていた…なんて事《こと》のないようにとな！」

「だが、いくら空手《からて》の達人《たつじん》だからってまだ高校生《こうこうせい》でしょ？　彼一人《かれひとり》に宝石《ほうせき》を警護《けいご》させるのは…」

中森警部《なかもりけいぶ》はなおも反論《はんろん》を重《かさ》ねたが、次郎吉《じろきち》は取《と》り合《あ》わない。

「見《み》ておらぬのか？　儂《わし》が警視庁《けいしちょう》に送《おく》った11人《にん》の男《おとこ》を疾風迅雷《しっぷうじんらい》の如《ごと》き早業《はやわざ》で薙《な》ぎ倒《たお》したあの驚異《きょうい》の映像《えいぞう》を!!」

確《たし》かに、あの映像《えいぞう》を見《み》れば京極《きょうごく》がただ者《もの》ではないことは一目瞭然《いちもくりょうぜん》だ。

しかし、キッドの力量《りきりょう》を知《し》る中森警部《なかもりけいぶ》は、「だがねぇ…」と食《く》い下《さ》がった。

「またキッドお得意《とくい》の停電《ていでん》で暗闇《くらやみ》にさせられたら…」

「心配無用《しんぱいむよう》…彼《かれ》は心眼《しんがん》を具有《ぐゆう》せし蹴撃《しゅうげき》の貴公子《きこうし》じゃ！　暗闇《くらやみ》となれば窮《きゅう》するのは彼奴《きゃつ》の方《ほう》じゃわい！」

「それに私《わたし》からも秘策《ひさく》がございますわ…」

口《くち》を挟《はさ》んできたのは、朋子《ともこ》だ。隣《となり》には史郎《しろう》の姿《すがた》もある。

「ひ、秘策《ひさく》？」

と、中森警部《なかもりけいぶ》は、驚《おどろ》いて振《ふ》り返《かえ》った。

「キッドの十八番《おはこ》は我々《われわれ》に近《ちか》しい人物《じんぶつ》に成《な》り済《す》まし…まんまと宝石《ほうせき》に近《ちか》づく変装術《へんそうじゅつ》…」

朋子《ともこ》はそう言《い》うと、隣《となり》にいる史郎《しろう》を横目《よこめ》でちらりと見《み》て「そう…以前《いぜん》、主人《しゅじん》に化《ば》けていたように…」と続《つづ》けた。

「あれは偽《にせ》の電話《でんわ》に引《ひ》っかかっただけで…」

朋子《ともこ》の非難《ひなん》がましい視線《しせん》を受《う》け、史郎《しろう》がたじたじになる。

「相談役《そうだんやく》も中森警部《なかもりけいぶ》もその経験《けいけん》がおありでしたわよね？」

「あ、ああ…」

うなずくと、次郎吉《じろきち》は中森警部《なかもりけいぶ》の頬《ほお》をギュゥゥとつねった。

中森警部《なかもりけいぶ》も、「だからこうやってたまに顔《かお》をつねって…」と言《い》いながら、次郎吉《じろきち》の頬《ほお》をつねりかえした。

「殿方《とのがた》ならそれでよろしいでしょうけど…」

そう言《い》って、朋子《ともこ》は隣《となり》にいる史郎《しろう》の頬《ほお》を容赦《ようしゃ》なくつねりあげた。「痛《いた》たた…」と史郎《しろう》が顔《かお》をしかめるが、朋子《ともこ》は気《き》にせず続《つづ》けた。

「女性《じょせい》にこのような無粋《ぶすい》な真似《まね》はしづらいのが心情《しんじょう》…ならばと用意《ようい》したのが…パリのデザ

イナーに特注《とくちゅう》し、今日《きょう》、届《とど》いたばかりの…世界《せかい》に一着《いっちゃく》だけしかないこのお洋服《ようふく》ですわ!!」

威勢《いせい》よく言《い》うと、朋子《ともこ》は羽織《はお》っていたショールを一気《いっき》にはぎ取《と》った。

ショールの下《した》に着《き》ていたのは、ツイード素材《そざい》のジャケットと黒《くろ》いキャミソール。ジャケットはえりが大《おお》きく、腰《こし》の位置《いち》にリボンがあしらわれていた。変《か》わったデザインなので、朋子《ともこ》の言《い》うように、すぐに同《おな》じ服《ふく》を用意《ようい》するのは難《むずか》しいだろう。

「し、しかしそんな服《ふく》…キッドに眠《ねむ》らされて脱《ぬ》がされたら…」

中森警部《なかもりけいぶ》が反論《はんろん》するが、朋子《ともこ》の自信《じしん》は揺《ゆ》るがない。

「それは殿方《とのがた》だけの場合《ばあい》…私《わたし》の知《し》る限《かぎ》り、キッドが女性《じょせい》の身包《みぐる》みをはいで成《な》り済《す》ました事《こと》は一度《いちど》もありません…つまり、この服《ふく》を着《き》ていれば本物《ほんもの》だと一目瞭然《いちもくりょうぜん》というわけなのです!」

「な、なるほど…」

中森警部《なかもりけいぶ》はあっさり納得《なっとく》してしまったが、コナンは(世良《せら》はノーカウントかよ…)と内心《ないしん》でつっこみを入《い》れた。蘭《らん》と園子《そのこ》のクラスメイトである世良真純《せらますみ》は、れっきとした女子高生《じょしこうせい》だが、以前《いぜん》、キッドに服《ふく》を奪《うば》われて変装《へんそう》されたことがあるのだ。しかしそれは、キッドが世良《せら》のことを男子高校生《だんしこうこうせい》だと勘違《かんちが》いしたためだった。

「もちろん園子《そのこ》やお友達《ともだち》のお洋服《ようふく》も用意《ようい》してありますのよ？」

「え？　わたしも⁉　学校帰《がっこうがえ》りに寄《よ》っただけなのに…」

朋子《ともこ》に言《い》われ、蘭《らん》はぎょっとして驚《おどろ》いた。

「後《あと》で着替《きが》えて頂戴《ちょうだい》ね…お互《たが》いこう顔《かお》をつねった後《あと》でだけど…」

そう言《い》って、朋子《ともこ》は園子《そのこ》の頬《ほお》をギュッとつねり上《あ》げた。

「は、はい…」

蘭《らん》がまじめにうなずく。

「まぁ、相談役《そうだんやく》もキッドキラーのこの少年《しょうねん》を帰《かえ》したくないでしょうしね…」

朋子《ともこ》が、コナンと次郎吉《じろきち》を順番《じゅんばん》に見《み》つめながら言《い》った。

その時《とき》、園子《そのこ》がスカートのポケットを探《さぐ》りながら「あ、そうだ！」と声《こえ》をあげた。

「今朝《けさ》ポストのぞいたらキッドからの手紙《てがみ》が入《はい》ってたよ！」

「なに⁉」

中森警部《なかもりけいぶ》がはっと反応《はんのう》して叫《さけ》ぶ。

園子《そのこ》はポケットから出《だ》した封筒《ふうとう》を、京極《きょうごく》へと差《さ》し出《だ》した。

「真《まこと》さん宛《あて》の…」

「え？」

京極《きょうごく》はとまどいつつも、台《だい》の上《うえ》に座《すわ》ったまま、封筒《ふうとう》を受《う》け取《と》って開《あ》けた。

「い、一体奴《いったいやつ》は…何《なん》と？」

中森警部《なかもりけいぶ》が、手紙《てがみ》をのぞきこむ。

しかし、中《なか》から出《で》てきたカードには、何《なに》も書《か》かれていない。

「は、白紙《はくし》？」

「まさか今回《こんかい》の予告《よこく》を白紙《はくし》に戻《もど》すって事《こと》か？」

中森警部《なかもりけいぶ》が言《い》うと、次郎吉《じろきち》は顔《かお》をほころばせた。

「彼奴《きやつ》め、空手《からて》の達人《たつじん》に恐《おそ》れをなしたか！」

「白紙《はくし》じゃないと思《おも》うよ…」

コナンはそう言《い》いながら、京極《きょうごく》の手《て》の中《なか》のカードに鼻《はな》を近《ちか》づけ、クンクンと香《かお》りをかいだ。

「これ、あぶり出《だ》しなんじゃない？　フルーツっぽい匂《にお》いがするし…」

「あ、あぶり出《だ》しだと⁉」

中森警部《なかもりけいぶ》と次郎吉《じろきち》の声《こえ》がそろう。

「と、とりあえずワシのライターで…」

喫煙者《きつえんしゃ》の中森警部《なかもりけいぶ》が、ライターを取《と》り出《だ》してカードを炎《ほのお》であぶる。

すると、紙《かみ》がこげて、文字《もじ》がゆっくりと浮《う》かび上《あ》がってきた。

「ん？　何《なに》か文字《もじ》が…」

柑橘類《かんきつるい》の果汁《かじゅう》など無色透明《むしょくとうめい》の液体《えきたい》で紙《かみ》に文字《もじ》を書《か》き、紙《かみ》を炎《ほのお》などであぶると、文字《もじ》が浮《う》かび上《あ》がってくる。それが、『あぶり出《だ》し』だ。

果汁《かじゅう》をぬった場所《ばしょ》は、なにもぬっていない場所《ばしょ》に比《くら》べて低《ひく》い温度《おんど》で発火《はっか》する。そのため、炎《ほのお》で紙《かみ》をあぶると、果汁《かじゅう》をぬった場所《ばしょ》はぬっていない場所《ばしょ》より早《はや》くこげる。その結果《けっか》、書《か》いた文字《もじ》や絵《え》が浮《う》かび上《あ》がってくるのだ。

京極《きょうごく》は、カードに現《あらわ》れた文字《もじ》を冷静《れいせい》に読《よ》み上《あ》げた。

「『いざ尋常《じんじょう》に勝負《しょうぶ》…怪盗《かいとう》キッド…』」

「え？　それだけか？」

中森警部《なかもりけいぶ》が、不思議《ふしぎ》そうに聞《き》き返《かえ》す。

「ええ…裏《うら》にも何《なに》も…」

京極《きょうごく》が、カードの裏面《うらめん》を確認《かくにん》して答《こた》える。

朋子《ともこ》がフッと笑《わら》った。

「恐《おそ》らく自分《じぶん》をあぶり出《だ》せるものならあぶり出《だ》してみろとの…愚《おろ》かしい挑発《ちょうはつ》の類《たぐい》でしょう…さぁ園子《そのこ》、蘭《らん》ちゃん！　着替《きが》えに参《まい》りましょ…」

「あ、はい…」

蘭《らん》はうなずいて、部屋《へや》を出《で》ていく朋子《ともこ》のあとを追《お》った。園子《そのこ》もつられて歩《ある》き出《だ》そうとしたが、ふと足《あし》を止《と》め、

「と、その前《まえ》に…」

つぶやいて、台《だい》の上《うえ》であぐらをかく京極《きょうごく》のもとへと駆《か》け寄《よ》った。

京極《きょうごく》の大《おお》きな手《て》のひらに、自分《じぶん》の手《て》を重《かさ》ね、両手《りょうて》できゅっと握《にぎ》りしめる。

「頑張《がんば》ってね、真《まこと》さん!!」

「あ、はい…」

恋人《こいびと》にはげまされ、けわしかった京極《きょうごく》の表情《ひょうじょう》がふいにゆるむ。園子《そのこ》は、少《すこ》しだけ照《て》れくさそうにしながら、大《おお》きな丸《まる》い目《め》で一生懸命《いっしょうけんめい》に京極《きょうごく》を見上《みあ》げた。

「わたし…信《しん》じてるから…」

「ええ！　守《まも》り抜《ぬ》いてみせます!!　この拳《こぶし》に懸《か》けて!!」

そう誓《ちか》った京極《きょうごく》の頬《ほお》は、すっかり赤《あか》みを帯《お》びている。

二人《ふたり》はしばらく、手《て》を触《ふ》れたまま見《み》つめ合《あ》った。

「さぁ園子《そのこ》…」

朋子《ともこ》に肩《かた》を抱《だ》かれ、園子《そのこ》はようやく、名残惜《なごりお》しげに手《て》を離《はな》した。着替《きが》えをするため、蘭《らん》と一緒《いっしょ》に部屋《へや》から出《で》ていく。

朋子《ともこ》は、京極《きょうごく》の方《ほう》を振《ふ》り返《かえ》った。

「私《わたし》も信《しん》じておりますよ…あの約束《やくそく》を貴方《あなた》が守《まも》ってくださると…」

「ええ、勿論《もちろん》…」

京極《きょうごく》が、表情《ひょうじょう》を引《ひ》きしめてうなずく。

脳裏《のうり》によみがえるのは、朋子《ともこ》と交《か》わした会話《かいわ》。

「私《わたし》と賭《か》けをしませんこと？」

昨晩《さくばん》、朋子《ともこ》は、「翠緑の皇帝《グリーン・エンペラー》」を守《まも》るためホールで夜《よる》を明《あ》かそうとしていた京極《きょうごく》のもとを訪《おとず》れて、そんなことを提案《ていあん》してきたのだ。

「賭《か》け…ですか？」

「貴方《あなた》が宝石《ほうせき》を見事守《みごとまも》り通《とお》せたなら、それも定《さだ》めと受《う》け入《い》れ、園子《そのこ》との交際《こうさい》を認《みと》める所存《しょぞん》ですが…それが叶《かな》わずあの盗賊《とうぞく》に凌駕《りょうが》された場合《ばあい》は…きっぱりと園子《そのこ》をあきらめてもらいます…よろしくて？」

キッドから宝石《ほうせき》を守《まも》れば、園子《そのこ》の恋人《こいびと》として認《みと》められる。

しかし、宝石《ほうせき》を奪《うば》われたなら――園子《そのこ》とは別《わか》れなければいけない。

それが、朋子《ともこ》の出《だ》してきた条件《じょうけん》だった。


すっかり日《ひ》が暮《く》れ、夜《よる》になると、鈴木大博物館前《すずきだいはくぶつかんまえ》には続々《ぞくぞく》とキッドファンたちが集《あつ》まりはじめた。誰《だれ》からともなく「キッド！　キッド！」と恒例《こうれい》のキッドコールがわきあがる。

鈴木大博物館《すずきだいはくぶつかん》に大量《たいりょう》の手紙《てがみ》が届《とど》いたのは、そんな最中《さいちゅう》だった。

「なに⁉　この博物館《はくぶつかん》にキッドから手紙《てがみ》が届《とど》いただと⁉　しかもまたこの男宛《おとこあて》なのか⁉」

報告《ほうこく》を受《う》けた中森警部《なかもりけいぶ》は、仰天《ぎょうてん》して京極《きょうごく》の方《ほう》を指《ゆび》さした。

「は、はい。１００通《つう》ぐらい一気《いっき》に…」

「ひゃ、１００通《つう》⁉」

手紙《てがみ》は、すべて同《おな》じ大《おお》きさの白《しろ》い封筒《ふうとう》に入《い》れられている。

京極《きょうごく》は指紋《しもん》がつかないよう手袋《てぶくろ》をはめて、その中《なか》の一通《いっつう》を手《て》に取《と》り、封《ふう》を切《き》った。

中《なか》から出《で》てきたのは、何《なに》も書《か》かれていない白《しろ》いカード。しかも、またもフルーツの香《かお》りをただよわせている。

「またあぶり出《だ》しのようですね…」

京極《きょうごく》がつぶやくと、中森警部《なかもりけいぶ》がいよいよゲンナリした顔《かお》になった。

「おいおい、１００通《つう》もいちいちライターであぶってらんねーぞ…」

「じゃあロウソクと燭台《しょくだい》を用意《ようい》して頂《いただ》けますか？　それであぶればいくらか手間《てま》が省《はぶ》けるかと…」

京極《きょうごく》の提案《ていあん》に従《したが》って、すぐにロウソクと高《たか》さのある燭台《しょくだい》が用意《ようい》された。

京極《きょうごく》は、かたっぱしから手紙《てがみ》の封《ふう》を切《き》ると、中《なか》のカードをロウソクの炎《ほのお》にかざしていった。すると案《あん》の定《じょう》、今回《こんかい》のメッセージもあぶり出《だ》しで書《か》かれていたようで、文字《もじ》が浮《う》かび上《あ》がってきた。

文字《もじ》の浮《う》かんだカードを京極《きょうごく》から次々《つぎつぎ》と受《う》け取《と》り、中森警部《なかもりけいぶ》は「な!?　何《なん》だこりゃ？」と困惑《こんわく》して叫《さけ》んだ。

「『狙《ねら》った獲物《えもの》は逃《のが》さない天下《てんか》の大泥棒《おおどろぼう》』…『月下《げっか》の奇術師《きじゅつし》に不可能《ふかのう》はなし』…『相手《あいて》は

世界最強《せかいさいきょう》の防犯《ぼうはん》システム？　超《ちょう》ウケるぅ〜〜〜〜〜』……——って、どれもこれも大《たい》した内容《ないよう》じゃないじゃないか!!」

ベシッと、力任《ちからまか》せに、手紙《てがみ》の束《たば》を床《ゆか》にたたきつける。

キッドから新《あら》たに届《とど》いたメッセージは、こちらを挑発《ちょうはつ》するだけの、意味《いみ》のない内容《ないよう》ばかりだったのだ。

予告《よこく》の時間《じかん》が近《ちか》づき、関係者《かんけいしゃ》はピリピリし始《はじ》めていた。

「下《さ》がって下《さ》がって！」

「翠緑の皇帝《グリーン・エンペラー》」に近《ちか》づきすぎた女性客《じょせいきゃく》が、警備《けいび》の警官《けいかん》にきびしく注意《ちゅうい》をされる。

（もはや展示《てんじ》になってねーな…）

コナンはあきれてため息《いき》をついた。ホールは、キッドの狙《ねら》う「翠緑の皇帝《グリーン・エンペラー》」を一目見《ひとめみ》ようと集《あつ》まった人《ひと》たちであふれていて、とても展示品《てんじひん》を鑑賞《かんしょう》できるような状況《じょうきょう》ではなかった。

（でも何《なん》なんだ？　この大量《たいりょう》の手紙《てがみ》は…。宝石《ほうせき》を守《まも》ってる京極《きょうごく》さんを動揺《どうよう》させる為《ため》か…それとも…）

やがて、鈴木大博物館《すずきだいはくぶつかん》は、閉館時間《へいかんじかん》を迎《むか》えた。

「閉館《へいかん》の時間《じかん》になりました…お客様《きゃくさま》は速《すみ》やかに退館《たいかん》されるようお願《ねが》い致《いた》します…」

アナウンスに従《したが》って、一般客《いっぱんきゃく》たちが博物館《はくぶつかん》から出《で》ていく。

いよいよ、再《ふた》びキッドと相《あい》まみえるとあって、次郎吉《じろきち》はすっかり興奮《こうふん》している。

「さぁ、いつでも参《まい》れ怪盗《かいとう》キッド‼　今日《きょう》こそ目《め》にものを見《み》せてくれようぞ‼」

そう言《い》うと、次郎吉《じろきち》は、「お主《ぬし》がな！」と台座《だいざ》の上《うえ》に座《すわ》る京極《きょうごく》の背中《せなか》をバンとたたいた。

どうやらこの無敵《むてき》の武人《セキュリティ》を、よっぽど気《き》に入《い》っているようだ。

楽観的《らっかんてき》な次郎吉《じろきち》の様子《ようす》を見《み》つめながら、コナンは思案《しあん》していた。

(嫌《いや》な予感《よかん》がする…何《なに》かうまく奴《やつ》に乗《の》せられてるような…)

わざわざ当日《とうじつ》に大量《たいりょう》の手紙《てがみ》を送《おく》ってきたのには、何《なに》か狙《ねら》いがあるはずだ。

考《かんが》え込《こ》むコナンの背後《はいご》から、蘭《らん》が声《こえ》をかけた。

「どうしたのコナン君《くん》？　怖《こわ》い顔《かお》しちゃって…」

「蘭姉《らんねえ》ちゃん！」

振《ふ》り返《かえ》ったコナンは、はっとして瞬《まばた》きした。

蘭《らん》は、朋子《ともこ》の用意《ようい》したドレスへと着替《きが》えを済《す》ませていたのだ。隣《となり》には、同《おな》じようにドレスに着替《きが》えた園子《そのこ》の姿《すがた》もある。

ドレス姿《すがた》の蘭《らん》のかわいさに、コナンは一時《いちじ》、思考《しこう》を中断《ちゅうだん》せざるをえなかった。

「どうかな？　この服《ふく》…一番無難《いちばんぶなん》なのを選《えら》んだんだけど…」

前《まえ》かがみにコナンをのぞきこむ蘭《らん》の頬《ほお》は、うっすらと赤《あか》く染《そ》まっていた。

蘭《らん》が着《き》ているドレスは、丈《たけ》が膝上《ひざうえ》までしかなく、デコルテも大《おお》きく開《ひら》いている。エレガントだが露出《ろしゅつ》が多《おお》めなので、少《すこ》し恥《は》ずかしいらしい。

「に、似合《にあ》ってると思《おも》うよ…」

コナンは控《ひか》えめに答《こた》えたが、その視線《しせん》は蘭《らん》にくぎづけになっていた。

「真《まこと》さーん！」

園子《そのこ》は、両手《りょうて》を広《ひろ》げて、台座《だいざ》の上《うえ》の京極《きょうごく》に声《こえ》をかけた。

「わたしはこんな服《ふく》だから！　忘《わす》れないでねー!!」

「はい！」

京極《きょうごく》が、顔《かお》を赤《あか》くして返事《へんじ》をする。日頃《ひごろ》、園子《そのこ》が露出《ろしゅつ》の多《おお》い服《ふく》を着《き》ていると何《なに》かと不満《ふまん》そうにする京極《きょうごく》だが、今日《きょう》は状況《じょうきょう》が状況《じょうきょう》なので、黙認《もくにん》してくれるらしい。

予告《よこく》の時間《じかん》まで、あと少《すこ》し。

京極《きょうごく》は、台座《だいざ》の上《うえ》に正座《せいざ》して、居《い》ずまいを正《ただ》した。もうすぐ、キッドがこの場《ば》に現《あらわ》れる。

中森警部《なかもりけいぶ》から差《さ》し出《だ》されたガスマスクを顔《かお》に装着《そうちゃく》しながら、京極《きょうごく》は、周囲《しゅうい》へ静《しず》かに呼《よ》びかけた。

「…では、予告《よこく》の時間《じかん》まであと五分《ごふん》…皆《みな》さんこの展示室《てんじしつ》から退去願《たいきょねが》います…。これより先《さき》…事《こと》が終《お》わるまでここへ入《はい》る者《もの》あらば…何人《なんぴと》たりとも敵《てき》と見《み》なし…渾身《こんしん》の限《かぎ》りを尽《つ》くして制圧《せいあつ》しますので…」

ガスマスクごしでもわかる強《つよ》いまなざしで、周囲《しゅうい》をひとにらみする。そして、意識《いしき》を集中《しゅうちゅう》するように目《め》を閉《と》じた。

京極《きょうごく》のあまりの真剣《しんけん》な気迫《きはく》に、中森警部《なかもりけいぶ》も次郎吉《じろきち》もすっかり気《け》おされて、

「あ、ああ…わかったわかった…」

と、後《あと》ずさった。


京極《きょうごく》の要請《ようせい》に従《したが》って、コナンたちも、中森警部《なかもりけいぶ》と一緒《いっしょ》にホールから出《で》た。

廊下《ろうか》には、京極《きょうごく》と同《おな》じようにガスマスクをしっかり装着《そうちゃく》した警官《けいかん》たちが、ずらりと整列《せいれつ》

していた。

「よーし！　我々《われわれ》も何人《なんびと》たりともこの部屋《へや》に通《とお》すんじゃないぞ!!」

中森警部《なかもりけいぶ》の号令《ごうれい》に、全員《ぜんいん》が「はっ!!」と声《こえ》をそろえる。

「わたしちょっとトイレ！」

園子《そのこ》は、蘭《らん》にそう声《こえ》をかけると、廊下《ろうか》を小走《こばし》りに駆《か》け出《だ》した。

キッドからの手紙《てがみ》は、ビニール袋《ぶくろ》に入《い》れられ、警官《けいかん》によって屋敷《やしき》の外《そと》に持《も》ち出《だ》されようとしている。コナンは警官《けいかん》に「ねぇ！」と声《こえ》をかけた。

「それってキッドから届《とど》いた手紙《てがみ》だよね？」

「ああ…」

「そんなにたくさんなら、博物館《はくぶつかん》の事務所《じむしょ》に郵便局《ゆうびんきょく》の人《ひと》が直接届《ちょくせつとど》けに来《き》たの？」

コナンの疑問《ぎもん》に、警官《けいかん》は「いいや…」と首《くび》を振《ふ》った。

「園子《そのこ》お嬢様《じょうさま》が郵便配達人《ゆうびんはいたつにん》から手渡《てわた》しされたって、さっき…」

(園子《そのこ》が？)

コナンは、トイレへと向《む》かう園子《そのこ》の後《うし》ろ姿《すがた》を見《み》つめた。園子《そのこ》は、壁際《かべぎわ》に並《なら》んだ警備《けいび》の警《けい》官《かん》たちに軽《かる》く片手《かたて》を上《あ》げて「ご苦労様《くろうさま》～！」と声《こえ》をかけている。園子《そのこ》が着《き》ているのは、朋《とも》子《こ》が用意《ようい》した、世界《せかい》に一着《いっちゃく》しかない特注《とくちゅう》のドレスだ。

「その時《とき》、あの服着《ふくき》てた？」

「ああ…先《さき》に着替《きが》え終《お》えて外《そと》の様子《ようす》を見《み》に出《で》たら、偶然顔見知《ぐうぜんかおみし》りの配達人《はいたつにん》に出会《であ》ったって…」

コナンは、警官《けいかん》が持《も》った袋《ふくろ》を、ぐいっと引《ひ》っぱった。

「ちょっと手紙見《てがみみ》せて！　袋《ふくろ》から出《だ》さないから！」

「お、おい⁉」

警官《けいかん》に制止《せいし》されるが、コナンは構《かま》わず、袋《ふくろ》を引《ひ》き寄《よ》せた。

袋《ふくろ》ごしに封筒《ふうとう》を手《て》に取《と》り、いつも身《み》に着《つ》けている腕時計型麻酔銃《うでどけいがたますいじゅう》のライトの光《ひかり》を当《あ》てる。

(やっぱり…ブラックライトに反応《はんのう》しねぇ…――って事《こと》は…　まさか園子《そのこ》…)

その時《とき》、ふっと廊下《ろうか》の照明《しょうめい》が落《お》ちた。

「て、停電《ていでん》⁉」

警官《けいかん》が、うろたえた声《こえ》を出《だ》す。

電気《でんき》が消《き》えたのは、廊下《ろうか》だけではなかった。

ホール内《ない》や、トイレの中《なか》など、鈴木大博物館内《すずきだいはくぶつかんない》のすべての場所《ばしょ》で照明《しょうめい》が落《お》ちていた。

しかし、突然《とつぜん》の停電《ていでん》にもかかわらず、京極《きょうごく》はまったくあせっていなかった。暗闇《くらやみ》の中《なか》でさらに精神《せいしん》をとぎすまし、キッドを待《ま》ち受《う》ける。

そして、あせっていないのは、トイレの個室《こしつ》の中《なか》にいた園子《そのこ》も同《おな》じだった。

(ごめんね…真《まこと》さん…)

腕時計《うでどけい》で時間《じかん》を確認《かくにん》しながら、心《こころ》の中《なか》で京極《きょうごく》に語《かた》りかける。

その様子《ようす》はまるで、この時間《じかん》に停電《ていでん》が起《お》こると、知《し》らされていたかのようだった。


「て、停電《ていでん》!?」

明《あ》かりの消《き》えた廊下《ろうか》で、コナンは警戒《けいかい》して周囲《しゅうい》を観察《かんさつ》した。

(ん？　何《なに》か光《ひか》ってる…しかもかなりの数《かず》…蛍光塗料《けいこうとりょう》？)

だんだん暗闇《くらやみ》に目《め》が慣《な》れてくる。

どうやら、警官《けいかん》たちが身《み》に着《つ》けたガスマスクに、蛍光塗料《けいこうとりょう》がついているようだ。そのせいで、暗闇《くらやみ》の中《なか》でも警官《けいかん》たちの位置《いち》が丸《まる》わかりになっている。

キッドの仕業《しわざ》だろうが、いつの間《ま》に蛍光塗料《けいこうとりょう》をつけたのだろうか？

考《かん》える間《ま》もなく、廊下《ろうか》の奥《おく》からテニスボールほどの大《おお》きさの何《なに》かがたくさん転《ころ》がってきた。

「あれ？　何《なに》か転《ころ》がってきたみたい…」

蘭《らん》がかがみこんで拾《ひろ》おうとする。

「蘭姉《らんねえ》ちゃん離《はな》れて!!」

プシュウウ！

ボールの中《なか》から、すごい勢《いきお》いで煙《けむり》が噴《ふ》き出《だ》した。

動揺《どうよう》しかけた警察官《けいさつかん》たちを、中森警部《なかもりけいぶ》が「うろたえるな！」と一喝《いっかつ》する。

「いつもの麻酔《ますい》ガスだ!!　ガスマスクさえ付《つ》けてりゃこんな物《もん》！」

中森警部《なかもりけいぶ》も、ほかの警官《けいかん》たちと同《おな》じガスマスクをつけている。

次《つぎ》の瞬間《しゅんかん》、ポン！　とどこかで音《おと》がした。

何者《なにもの》かが、暗闇《くらやみ》の中《なか》でトランプ銃《じゅう》を撃《う》ったのだ。飛《と》び出《だ》したカードが、次々《つぎつぎ》と、警官《けいかん》たちのガスマスクをはじき飛《と》ばしていく。

「くそっ！」

もともとガスマスクをつけていなかったコナンは、とっさに上着《うわぎ》の袖《そで》を、鼻《はな》と口《くち》に押《お》し当《あ》てた。

カードは次々《つぎつぎ》と飛《と》び出《だ》し、とうとう中森警部《なかもりけいぶ》まで、ガスマスクをはじき飛《と》ばされてしまった。


京極《きょうごく》は、外《そと》から聞《き》こえてくる騒《さわ》ぎにも動《どう》じず、台座《だいざ》の上《うえ》に座《すわ》り続《つづ》けていた。

しかし、

「きゃあああ！」

聞《き》きなれた声《こえ》の悲鳴《ひめい》が聞《き》こえてきた時《とき》には、さすがに表情《ひょうじょう》を変《か》えた。

(この声《こえ》は園子《そのこ》さん…)

ホールの扉《とびら》の向《む》こうから、続《つづ》けざまに園子《そのこ》の声《こえ》がする。

「真《まこと》さん！　入《はい》っていい？　私《わたし》よ園子《そのこ》!!」

園子《そのこ》の声《こえ》を聞《き》いた京極《きょうごく》は、台《だい》から降《お》りて入《い》り口《ぐち》まで行《い》き、扉《とびら》を開《あ》けた。すると、園子《そのこ》が勢《いきお》いよく飛《と》びついてきた。

「真《まこと》さん!!」

園子《そのこ》さん、一体何《いったいなに》が⁉」

園子は身体を離すと、手に持っていたガスマスクを装着しながら、早口に説明を始めた。

「怪盗《かいとう》キッドがいきなり停電《ていでん》させて、館内《かんない》に麻酔《ますい》ガスを充満《じゅうまん》させたのよ！　私《わたし》は隊員《たいいん》から渡《わた》されたこのガスマスクがあったから眠《ねむ》らされずに済《す》んだけど…他《ほか》の隊員《たいいん》はキッドのトランプ銃《じゅう》でガスマスクを外《はず》されちゃって…」

部屋《へや》の外《そと》に出《で》てみると、廊下《ろうか》は煙《けむり》でいっぱいになっていた。

警官《けいかん》たちは全員《ぜんいん》、床《ゆか》の上《うえ》で、お互《たが》いに寄《よ》りかかるようにして眠《ねむ》り込《こ》んでいる。

「な…なんと…」

「ガスマスクに蛍光塗料《けいこうとりょう》みたいなのがついてたから、きっと暗闇《くらやみ》でその光《ひかり》を頼《たよ》りにキッドは…」

園子《そのこ》に言《い》われ、京極《きょうごく》はすばやく周囲《しゅうい》に視線《しせん》を走《はし》らせた。

「ならば奴《やつ》はまだこの近《ちか》くに…」

「もう逃《に》げちゃったと思《おも》うよ！　停電《ていでん》の前《まえ》に『宝石《ほうせき》は頂《いただ》いた』っていうキッドのカードが

届《とど》いたらしいし…」

「バカな…」

京極《きょうごく》は首《くび》からさげた「翠緑の皇帝《グリーン・エンペラー》」を手《て》に取《と》った。

「宝石《ほうせき》はこの通《とお》りずっと自分《じぶん》の首《くび》に…」

「とにかく明《あか》るい場所《ばしょ》で確《たし》かめてみよ！　その宝石《ほうせき》が本物《ほんもの》かどうか…」

園子《そのこ》は京極《きょうごく》の手《て》を引《ひ》いて、ホールへと戻《もど》った。

ホールの中《なか》は停電《ていでん》して薄暗《うすぐら》いが、天窓《てんまど》の下《した》は月《つき》の光《ひかり》が射《さ》しこんでいて、ホール中央《ちゅうおう》だけ明《あか》るくなっているのだ。

宝石《ほうせき》を空《そら》に向《む》かってすかして、園子《そのこ》は「うーん…」と首《くび》をひねった。

「天窓《てんまど》の月明《つきあ》かりだけじゃわかんないね…」

「ならばロウソクで…」

「そっか！　あぶり出《だ》し用《よう》の…本物《ほんもの》は緑色《みどりいろ》だったよね？」

キッドから届《とど》いた手紙《てがみ》を読《よ》むために使《つか》ったロウソクが、すぐ近《ちか》くに置《お》いてある。

京極《きょうごく》は宝石《ほうせき》を燭台《しょくだい》の上《うえ》のロウソクの炎《ほのお》にかざした。本物《ほんもの》の「翠緑の皇帝《グリーン・エンペラー》」なら、緑色《みどりいろ》をしているはず。

しかし――

「!?」

京極《きょうごく》は息《いき》をのんだ。

ロウソクの炎《ほのお》に照《て》らし出《だ》されたアレキサンドライトは、赤色《あかいろ》をしていたのだ。

「あ、赤《あか》!?　赤《あか》く光《ひか》ってます!!」

「やっぱりキッドが偽物《にせもの》とスリ替《か》えたのね!!」

「し、しかし、いつ？　どうやって!?」

さすがの京極《きょうごく》も、うろたえていた。「翠緑の皇帝《グリーン・エンペラー》」はずっと、京極《きょうごく》が首《くび》から下《さ》げていた

というのに……いつの間《ま》に、キッドにすり替《か》えられてしまったのだろうか？

「とりあえずこの偽物《にせもの》は私《わたし》が警部《けいぶ》に渡《わた》してくるから!!」

園子《そのこ》は冷静《れいせい》に、京極《きょうごく》の首《くび》から宝石《ほうせき》を取《と》った。

「あ、はい…」

「真《まこと》さんは眠《ねむ》らされた隊員達《たいいんたち》の介抱《かいほう》を!!」

そう言《い》って駆《か》け出《だ》そうとした園子《そのこ》の手首《てくび》を、京極《きょうごく》が、突然《とつぜん》ガッとつかんだ。

「え？」

園子《そのこ》が足《あし》を止《と》める。

「……………」

京極《きょうごく》は、つかんだ手首《てくび》の先《さき》にある園子《そのこ》の指《ゆび》を、無言《むごん》で見《み》つめた。

それから、強《つよ》いまなざしをまっすぐにぶつけ、低《ひく》い声《こえ》で聞《き》く。

「あなた…園子《そのこ》さんじゃありませんね？」

「な、何《なに》言《い》ってるの？　私《わたし》は本物《ほんもの》よ!!」

園子《そのこ》は、とまどったように言《い》うと、手《て》に持《も》った「翠緑の皇帝《グリーン・エンペラー》」をかかげてみせた。

「この宝石《ほうせき》は偽物《にせもの》だけど…」

「宝石《ほうせき》は本物《ほんもの》だよ！」

口《くち》を挟《はさ》んだのは、江戸川《えどがわ》コナンだった。顔《かお》にはしっかりとガスマスクをつけている。

「アレキサンドライトは青緑色系《せいりょくしょくけい》スペクトルの強《つよ》い太陽光《たいようこう》やこの博物館内《はくぶつかんない》の蛍光灯《けいこうとう》の下《もと》では暗緑色《あんりょくしょく》だけど…赤色系《せきしょくけい》スペクトルの強《つよ》い白熱灯《はくねつとう》やロウソクの明《あ》かりの下《もと》だと、鮮《あざ》やかな赤色《あかいろ》に変《か》わる…」

光《ひかり》によって色《いろ》が変《か》わるのが、アレキサンドライトという宝石《ほうせき》が持《も》つ特性《とくせい》だ。

京極《きょうごく》が確認《かくにん》した時《とき》、「翠緑の皇帝《グリーン・エンペラー》」の色《いろ》が赤《あか》く見《み》えたのは、ロウソクの炎《ほのお》を使《つか》っていたからだったのだ。宝石《ほうせき》は、もともとすり替《か》えられてなどいなかった。

「つまり…あんな無意味《むいみ》なあぶり出《だ》しの手紙《てがみ》を大量《たいりょう》に送《おく》ってよこしたのは…この場《ば》にロウソクを用意《ようい》させる為《ため》だったってわけさ！　その手紙《てがみ》も前《まえ》もってこの博物館《はくぶつかん》のどこかに隠《かく》していた物《もの》を、園子《そのこ》に変装《へんそう》して渡《わた》したんだろ？　下手《へた》に郵便局《ゆうびんきょく》を通《とお》してどこかで熱《ねつ》が加《くわ》わったらあぶり出《だ》しにならねぇし…その証拠《しょうこ》に、郵便局《ゆうびんきょく》が使《つか》ってる区分管理《くぶんかんり》用《よう》のバーコードがどの手紙《てがみ》にも付《つ》いてなかったぜ？　ブラックライトに反応《はんのう》するインビジブルインクがな!!」

「じゃあ、キッドは私《わたし》の服《ふく》をひんむいて変装《へんそう》したっていうわけ？」

園子《そのこ》のやんわりとした反論《はんろん》に、コナンは「いや……」と冷静《れいせい》に答《こた》えた。

「園子《そのこ》は自分《じぶん》で服《ふく》を脱《ぬ》いでキッドに渡《わた》したんだよ！　キッドとの賭《か》けを成立《せいりつ》させる為《ため》にな!!」

「賭《か》け？」

思《おも》いがけない言葉《ことば》に、京極《きょうごく》がとまどう。

「ああ！」

コナンは、視線《しせん》を園子《そのこ》に向《む》けたまま、キック力増強《りょくぞうきょう》シューズとボール射出《しゃしゅつ》ベルトを操作《そうさ》した。ベルトのバックルから、サッカーボールがポンと飛《と》び出《だ》してくる。

「自分《じぶん》に成《な》り済《す》ました怪盗《かいとう》キッドを京極《きょうごく》さんが…見破《みやぶ》れるかどうかっ…てな!!!」

ドガッ！

コナンがサッカーボールを蹴《け》った。

ボールが勢《いきお》いよく、園子《そのこ》に向《む》かって飛《と》んでいく。園子《そのこ》は、手首《てくび》を京極《きょうごく》につかまれたままなので、逃《に》げられない――ように見《み》えた。しかし、

ボン！

突然《とつぜん》、園子《そのこ》が手首《てくび》につけていた腕時計《うでどけい》が、衝撃波《しょうげきは》とともに外《はず》れ落《お》ちた。

「!?」

京極《きょうごく》が驚《おどろ》いた隙《すき》を突《つ》いて、つかまれていた手《て》を振《ふ》りほどく。

(ちっ！　かわしやがった!?)

コナンが放《はな》ったボールは、京極《きょうごく》の背後《はいご》の柱《はしら》に当《あ》たった。

ボールの直撃《ちょくげき》を受《う》けた柱《はしら》は、メキメキと折《お》れ曲《ま》がり、コナンの方《ほう》に向《む》かってゆっくりと倒《たお》れてきた。

(わっ、やべっ!!)

コナンはとっさに逃《に》げようとしたが、それより早《はや》く、京極《きょうごく》がコナンの身体《からだ》を抱《だ》きかかえ、

床《ゆか》を滑《すべ》るように移動《いどう》して柱《はしら》をよける。

折《お》れた柱《はしら》は、ズズゥンと台座《だいざ》にななめに寄《よ》りかかった。

「や、奴《やつ》は!?」

「奴《やつ》はどこに!?」

京極《きょうごく》とコナンが、薄暗《うすぐら》いホールを見回《みまわ》す。

すると、頭上《ずじょう》からヒラヒラと何《なに》かが落《お》ちてきた。園子《そのこ》が着《き》ていたドレスとウィッグだ。

「!?」

はっと顔《かお》を上《あ》げれば、怪盗《かいとう》キッドが天窓《てんまど》から宙《ちゅう》づりになって、「ハッハッハッ!!」と高《たか》笑《わら》いをあげている。

キッドの右手《みぎて》にはトランプ銃《じゅう》が握《にぎ》られていた。銃口《じゅうこう》から飛《と》び出《だ》したワイヤーの先端《せんたん》は、天窓《てんまど》の枠《わく》に刺《さ》さっている。ワイヤーはキュルキュルと音《おと》をたてて巻《ま》き取《と》られ、キッドの身体《からだ》をゆっくりと、上《うえ》に向《む》かって運《はこ》んでいた。

「『翠緑の皇帝《グリーン・エンペラー》』は頂戴《ちょうだい》した!!」

高《たか》らかに宣言《せんげん》したキッドの左手《ひだりて》には、アレキサンドライトが握《にぎ》られている。

「まぁ、空《そら》を飛《と》べない自《みずか》らの無能《むのう》さを呪《のろ》ってください…世界最強《せかいさいきょう》の防犯《ぼうはん》システムさん？」

キッドは、天窓《てんまど》に向《む》かって上昇《じょうしょう》しながら、ここぞとばかりに挑発《ちょうはつ》の言葉《ことば》を並《なら》べたてた。

(野郎《やろう》…)

唇《くちびる》をかむコナンの隣《となり》で、京極《きょうごく》は冷静《れいせい》にスゥーと深呼吸《しんこきゅう》をすると、

「離《はな》れて…」

と、小《ちい》さく告《つ》げた。

「え？」

京極《きょうごく》は、ダッと床《ゆか》を蹴《け》り、壁際《かべぎわ》にある柱《はしら》の方《ほう》へと突進《とっしん》した。

ドゴッ！

京極《きょうごく》のするどい回《まわ》し蹴《げ》りが、コンクリートの柱《はしら》を、いとも簡単《かんたん》に粉砕《ふんさい》した。亀裂《きれつ》の入《はい》った場所《ばしょ》めがけて、次々《つぎつぎ》にこぶしを繰《く》り出《だ》す。

ドガ！　ガゴ！

すさまじい音《おと》をたて、柱《はしら》はみるみるうちに破壊《はかい》されていった。

(は、柱《はしら》を空手《からて》で!?)

コナンは驚《おどろ》きに目《め》を見張《みは》った。

天窓《てんまど》からぶら下《さ》がっているキッドも、すっかりあ然《ぜん》としているようだ。

（ま、まさか柱《はしら》を折《お》って天井《てんじょう》を落《お》とす気《き》か⁉）

天井《てんじょう》に上《あ》がる術《すべ》がないなら天井《てんじょう》を落《お》としてしまえという発想《はっそう》もすごいが、思《おも》いついたからといって素手《すで》で柱《はしら》を折《お》れるのもすごい。

（怖《こわ》っ‼　早《はや》くズラかろ…）

キッドは身震《みぶる》いしつつ、天窓《てんまど》を開《あ》けて屋上《おくじょう》にはいのぼった。

ドゴ！

京極《きょうごく》の最後《さいご》の一蹴《ひとけ》りで、とうとう、柱《はしら》が折《お》れた。

柱《はしら》が倒《たお》れていく先《さき》には、先《さき》ほどコナンがボールを当《あ》てて倒《たお》してしまった別《べつ》の柱《はしら》が、台座《だいざ》になめに寄《よ》りかかるようにして、シーソーのように静止《せいし》している。

京極《きょうごく》は、コナンが倒《たお》した柱《はしら》の、片方《かたほう》の先端《せんたん》に飛《と》び乗《の》った。柱《はしら》の反対側《はんたいがわ》の先端《せんたん》に、たった今京極《いまきょうごく》が蹴《け》りこわした柱《はしら》が、直角《ちょっかく》に折《お》れてズンとのしかかる。

バヒュ！

柱《はしら》の片側《かたがわ》にいた京極《きょうごく》は、てこの原理《げんり》を利用《りよう》して、勢《いきお》いよく真上《まうえ》に飛《と》んだ。

（ウソォ…と…飛《と》んだ⁉）

コナンは驚《おどろ》いて、京極《きょうごく》の動《うご》きを目《め》で追《お》った。

京極《きょうごく》は、そのまま天窓《てんまど》に体当《たいあ》たりして、ガラスを窓枠《まどわく》ごとバリンと粉砕《ふんさい》した。そして、ザッと屋上《おくじょう》に降《お》り立《た》った。

あまりに人間離《にんげんばな》れした身体能力《しんたいのうりょく》を見《み》せつけられ、キッドは（さ…さすが世界最強《せかいさいきょう》…）と、すっかり度肝《どぎも》を抜《ぬ》かれていた。

「さあ…返《かえ》して頂《いただ》こうか…」

京極《きょうごく》はガスマスクを外《はず》すと、じりじりとキッドに迫《せま》った。

「宝石《ほうせき》も…園子《そのこ》さんの心《こころ》も…」

「ええ…目当《めあ》ての物《もの》じゃなかったので宝石《ほうせき》はお返《かえ》しできますが…お嬢様《じょうさま》の心《こころ》はそうはいかない…」

京極《きょうごく》が「何《なに》⁉」と声《こえ》を荒《あら》らげる。

キッドは、小《ちい》さく首《くび》をすくめて続《つづ》けた。

「返《かえ》すもなにも…元々《もともと》盗《と》れてませんから…この賭《か》けを持《も》ち掛《か》けた時点《じてん》でね…」


園子《そのこ》に変装《へんそう》したキッドを、京極《きょうごく》は果《は》たして見破《みやぶ》ることができるか——？

キッドが園子《そのこ》にそんな賭《か》けを持《も》ち出《だ》したのは、園子《そのこ》の部屋《へや》のベランダに姿《すがた》を現《あらわ》した夜《よる》だった。

「い、いいわよ！　その賭《か》け乗《の》ってあげるけど…」

園子《そのこ》は、キッドの賭《か》けを受《う》けたあと、ぎこちなく目《め》をそらしながら、こう続《つづ》けた。

「…ケガさせないでね…真《まこと》さん…来週大《らいしゅうおお》きな大会控《たいかいひか》えてるからさ…」

その時《とき》、警備《けいび》の男《おとこ》たちがキッドに気《き》がついて「だ、誰《だれ》だ!?」「か、怪盗《かいとう》キッド!?」と騒《さわ》ぎ始《はじ》めてしまった。

「どうやらここに私《わたし》が来《き》た事《こと》は内緒《ないしょ》にできないようですので、ご友人《ゆうじん》には適当《てきとう》な嘘《うそ》を…特《とく》に眼鏡《めがね》のあの少年《しょうねん》にはね…」

声《こえ》をひそめて園子《そのこ》にそう言《い》い残《のこ》し、キッドは園子《そのこ》の部屋《へや》からハンググライダーで飛《と》び立《た》って、闇夜《やみよ》へと消《き》えたのだった。


「……」

キッドが園子《そのこ》の部屋《へや》を訪《たず》ねた時《とき》の一部始終《いちぶしじゅう》を聞《き》かされ、京極《きょうごく》は無言《むごん》になってしまった。

園子《そのこ》が自分《じぶん》のことを心配《しんぱい》してくれたのがうれしいらしく、頬《ほお》がうっすらと赤《あか》くなっている。

「…とまぁ残念《ざんねん》ながら…ケガは少々《しょうしょう》負《お》わせてしまったようですが…」

そう言《い》うと、キッドは無造作《むぞうさ》に「翠緑の皇帝《グリーン・エンペラー》」を投《な》げた。はっと反応《はんのう》した京極《きょうごく》が、駆《か》けよって受《う》け止《と》める。

その隙《すき》をねらって、キッドはハンググライダーで飛《と》び去《さ》ってしまった。

「賭《か》けは完全《かんぜん》に…お嬢様《じょうさま》の勝《か》ちですよ！」

と、京極《きょうごく》に言《い》い残《のこ》して。


キッドが立《た》ち去《さ》ってしばらくしてから、眠《ねむ》らされていた中森警部《なかもりけいぶ》や次郎吉《じろきち》、そして警官《けいかん》たちはようやく目《め》を覚《さ》ました。

キッドが園子《そのこ》に変装《へんそう》していたことを知《し》り、次郎吉《じろきち》は驚《きょう》がくした。

「何《なに》ィ!?　身包《みぐる》みはがされてトイレに監禁《かんきん》されてたじゃと!?　本当《ほんとう》か!?　園子《そのこ》!?」

「う、うんまぁ…」

キッドは女性《じょせい》に手荒《てあら》な真似《まね》はしない、という前提《ぜんてい》が間違《まちが》っていたことに気《き》づいて、中森《なかもり》警部《けいぶ》は「女《おんな》にも容赦《ようしゃ》ねーじゃねーか!!」と怒《おこ》っている。

しかし、園子《そのこ》の証言《しょうげん》がウソであると、コナンは見抜《みぬ》いていた。

(キッドにそう言《い》えって言《い》われたんだろ？　共犯《きょうはん》になっちまうから…)

本当《ほんとう》は、園子《そのこ》は自《みずか》らキッドに協力《きょうりょく》していたのだが、そのことは警察《けいさつ》や次郎吉《じろきち》には内緒《ないしょ》にすることにしたようだ。

「じゃあまさかガスマスクに蛍光塗料《けいこうとりょう》を付《つ》けたのは…あの時《とき》か!!」

中森警部《なかもりけいぶ》がわなわなと唇《くちびる》を震《ふる》わせた。

園子《そのこ》は、トイレに行《い》く前《まえ》に「ご苦労様《くろうさま》〜〜〜！」と警備《けいび》の警官《けいかん》たちに声《こえ》をかけていた。あの時《とき》、どさくさに紛《まぎ》れて、腕時計《うでどけい》か何《なに》かから蛍光塗料《けいこうとりょう》を噴出《ふんしゅつ》して、ガスマスクに印《しるし》をつけたのだろう。

そうして一度《いちど》はキッドに盗《ぬす》まれた「翠緑の皇帝《グリーン・エンペラー》」だが、無事《ぶじ》に次郎吉《じろきち》のもとへ戻《もど》ってきた。

「しかしお主《ぬし》よくぞ守《まも》ってくれたのォ！」

次郎吉《じろきち》はすっかり上機嫌《じょうきげん》で、ほくほくと京極《きょうごく》をねぎらった。

「いえ…逃《に》げられたので…」

京極《きょうごく》が真顔《まがお》で否定《ひてい》する。京極《きょうごく》としては、今回《こんかい》のキッドとの対決《たいけつ》を引《ひ》き分《わ》けと判断《はんだん》しているようだ。

史郎《しろう》は、実直《じっちょく》な京極《きょうごく》の受《う》け答《こた》えを聞《き》きながら、

「なかなか頼《たの》もしい青年《せいねん》じゃないか！」

と、顔《かお》をほころばせた。

「ええ…真面目《まじめ》で朴訥《ぼくとつ》で礼儀正《れいぎただ》しい強靭《きょうじん》な男《おとこ》…いじめがいがありますわ…」

隣《となり》の朋子《ともこ》が、キラキラと顔《かお》を輝《かがや》かせてうなずく。

「ごめんね真《まこと》さん…試《ため》すような真似《まね》しちゃって…」

園子《そのこ》は、手《て》のひらで口元《くちもと》を隠《かく》しながら、こっそりと京極《きょうごく》にささやいた。

「あ、いえ…」

京極《きょうごく》が、照《て》れくさそうにこめかみをかく。

「それでさー…」

園子《そのこ》はニヤッと笑《わら》うと、期待《きたい》に満《み》ちた顔《かお》で聞《き》いた。

「どの辺《へん》で気《き》づいたの？　キッドの変装《へんそう》だって…」

「え？」

「やっぱわたしの方《ほう》がプリティーだったとか？　ね？　そうでしょ？」

「あ、いや…実《じつ》は…」

京極《きょうごく》が、気《き》まずそうな表情《ひょうじょう》になる。

言《い》いづらそうにしながら、ヒソヒソと答《こた》えを耳打《みみう》ちすると、園子《そのこ》は「え〜〜〜っ!!」と
すっとんきょうな声《こえ》をあげた。

「わたしと違《ちが》ってキッドは人差《ひとさ》し指《ゆび》より薬指《くすりゆび》が長《なが》かった!?　マジでそれで気《き》づいたの!?」

「ええ…対戦相手《たいせんあいて》の身体的《しんたいてき》な特徴《とくちょう》を瞬時《しゅんじ》に見抜《みぬ》く癖《くせ》がついているので…」

「他《ほか》に何《なに》かなかったの？　わたしの方《ほう》がピュアな感《かん》じだったとかさ——！」

園子《そのこ》にずいっと迫《せま》られ、京極《きょうごく》はすっかりたじたじになっている。

ほほえましい二人《ふたり》のやり取《と》りを、コナンは半《なか》ばあきれて見守《みまも》った。

(まぁ、ホルモンの関係上《かんけいじょう》、女《おんな》は薬指《くすりゆび》より人差《ひとさ》し指《ゆび》が長《なが》くて、男《おとこ》はその逆《ぎゃく》だと言《い》われてるからな…)

京極《きょうごく》の話《はなし》を聞《き》いて自分《じぶん》の手《て》を確認《かくにん》した蘭《らん》が、「あ、わたし薬指長《くすりゆびなが》っ!!」と目《め》を丸《まる》くする。

それを聞《き》いたコナンは、

(…割《わり》と例外《れいがい》な人《ひと》もいるようだけど)

と、内心《ないしん》でこっそりつけ加《くわ》えた。

And the show will go on...

Shogakukan Junior Bunko

★小学館ジュニア文庫★

名探偵コナン

怪盗キッドセレクション　月下の予告状《イリュージョン》

2019年４月17日　初版第１刷発行

著者／酒井 匙
原作・イラスト／青山剛昌

発行人／立川義剛
編集人／吉田憲生
編集／山口久美子

発行所／株式会社　小学館
〒101-8001　東京都千代田区一ツ橋２－３－１
電話／編集　03-3230-5105
販売　03-5281-3555

印刷・製本／中央精版印刷株式会社

デザイン／石沢将人＋ベイブリッジ・スタジオ

Printed in Japan　ISBN 978-4-09-231286-9

★「小学館ジュニア文庫」を読んでいるみなさんへ★

この本《ほん》の背《せ》にあるクローバーのマークに気《き》がつきましたか？　オレンジ、緑《みどり》、青《あお》、赤《あか》に彩《いろど》られた四《よ》つ葉《ば》のクローバー。これは、小学館《しょうがくかん》ジュニア文庫《ぶんこ》のマークです。そして、それぞれの葉《は》の色《いろ》には、私《わたし》たちがジュニア文庫《ぶんこ》を刊行《かんこう》していく上《うえ》で、みなさんに伝《つた》えていきたいこと、私《わたし》たちの大切《たいせつ》な思《おも》いがこめられています。

オレンジは愛《あい》。家族《かぞく》、友達《ともだち》、恋人《こいびと》。みなさんの大切《たいせつ》な人《ひと》たちを思《おも》う気持《きも》ち。まるでオレンジ色《いろ》の太陽《たいよう》の日差《ひざ》しのように心《こころ》を暖《あたた》かにする、人《ひと》を愛《あい》する気持《きも》ち。

緑《みどり》はやさしさ。困《こま》っている人《ひと》や立場《たちば》の弱《よわ》い人《ひと》、小《ちい》さな動物《どうぶつ》の命《いのち》に手《て》をさしのべるやさしさ。緑《みどり》の森《もり》は、多《おお》くの木々《きぎ》や花々《はなばな》、そこに生《い》きる動物《どうぶつ》をやさしく包《つつ》み込《こ》みます。

青《あお》は想像力《そうぞうりょく》。芸術《げいじゅつ》や新《あたら》しいものを生《う》み出《だ》していく力《ちから》。立場《たちば》や考《かんが》え方《かた》、国籍《こくせき》、自分《じぶん》とは違《ちが》う人《ひと》たちの気持《きも》ちを思《おも》い、協力《きょうりょく》しあうことも想像《そうぞう》の力《ちから》です。人間《にんげん》の想像力《そうぞうりょく》は無限《むげん》の広《ひろ》がりを持《も》っています。まるで、どこまでも続《つづ》く、澄《す》みきった青《あお》い空《そら》のようです。

赤《あか》は勇気《ゆうき》。強《つよ》いものに立《た》ち向《む》かい、間違《まちが》ったことをただす気持《きも》ち。くじけそうな自分《じぶん》の弱《よわ》い気持《きも》ちに立《た》ち向《む》かうことも大《おお》きな勇気《ゆうき》です。まさにそれは、赤《あか》い炎《ほのお》のように熱《あつ》く燃《も》え上《あ》がる心《こころ》。

四《よ》つ葉《ば》のクローバーは幸《しあわ》せの象徴《しょうちょう》です。愛《あい》、やさしさ、想像力《そうぞうりょく》、勇気《ゆうき》は、みなさんが未来《みらい》を切《き》りひらき、幸《しあわ》せで豊《ゆた》かな人生《じんせい》を送《おく》るためにすべて必要《ひつよう》なものです。

体《からだ》を成長《せいちょう》させていくために、栄養《えいよう》のある食《た》べ物《もの》が必要《ひつよう》なように、心《こころ》を育《そだ》てていくためには読書《どくしょ》がかかせません。みなさんの心《こころ》を豊《ゆた》かにしていく本《ほん》を一冊《さつ》でも多《おお》く出《だ》したい。それが私《わたし》たちジュニア文庫編集部《ぶんこへんしゅうぶ》の願《ねが》いです。

みなさんのこれからの人生《じんせい》には、困《こま》ったこと、悲《かな》しいこと、自分《じぶん》の思《おも》うようにいかないことも待《ま》ち受《う》けているかもしれません。どうか「本《ほん》」を大切《たいせつ》な友達《ともだち》にしてください。どんな時《とき》でも「本《ほん》」はあなたの味方《みかた》です。そして困難《こんなん》に打《う》ち勝《か》つヒントをたくさん与《あた》えてくれるでしょう。みなさんが「本《ほん》」を通《つう》じ素敵《すてき》な大人《おとな》になり、幸《しあわ》せで実《みの》り多《おお》い人生《じんせい》を歩《あゆ》むことを心《こころ》より願《ねが》っています。

小学館ジュニア文庫編集部

〈大人気！「名探偵コナン」シリーズ〉

名探偵コナン　瞳の中の暗殺者
名探偵コナン　天国へのカウントダウン
名探偵コナン　迷宮の十字路
名探偵コナン　銀翼の奇術師
名探偵コナン　水平線上の陰謀
名探偵コナン　探偵たちの鎮魂歌
名探偵コナン　紺碧の棺
名探偵コナン　戦慄の楽譜
名探偵コナン　漆黒の追跡者
名探偵コナン　天空の難破船
名探偵コナン　沈黙の15分
名探偵コナン　11人目のストライカー
名探偵コナン　絶海の探偵
名探偵コナン　異次元の狙撃手
名探偵コナン　業火の向日葵
名探偵コナン　純黒の悪夢
名探偵コナン　から紅の恋歌

名探偵コナン　ゼロの執行人

ルパン三世VS名探偵コナン　THE MOVIE
名探偵コナン　江戸川コナン失踪事件 史上最悪の二日間
名探偵コナン　コナンと海老蔵 歌舞伎十八番ミステリー
名探偵コナン　エピソード"ONE" 小さくなった名探偵
名探偵コナン　紅の修学旅行

小説 名探偵コナン　CASE1～4
名探偵コナン　安室透セレクション ゼロの推理劇

次はどれにする？　おもしろくて楽しい新刊が、続々登場!!

★小学館ジュニア文庫★ ワクワク、ドキドキがいっぱいのラインナップ

〈話題の映画&アニメノベライズシリーズ〉

アイドル×戦士 ミラクルちゅーんず！
あさひなぐ
兄に愛されすぎて困ってます
あのコの、トリコ。
一礼して、キス
イナズマイレブン アレスの天秤　全4巻
ういらぶ。
海街diary
映画くまのがっこう パティシエ・ジャッキーとおひさまのスイーツ
映画刀剣乱舞

映画プリパラ み～んなのあこがれ♪レッツゴー☆プリパリ
映画妖怪ウォッチ 空飛ぶクジラとダブル世界の大冒険だニャン！
映画妖怪ウォッチ シャドウサイド 鬼王の復活
映画妖怪ウォッチ FOREVER FRIENDS
おまかせ！みらくるキャット団 ～マミタス、みらくるするのナー！～
小説　おそ松さん 6つ子とエジプトとセミ
怪盗グルーの月泥棒
怪盗グルーのミニオン危機一発
怪盗グルーのミニオン大脱走
ミニオンズ
怪盗ジョーカー 開幕！怪盗ダーツの挑戦!!
怪盗ジョーカー 追憶のダイヤモンド・メモリー
怪盗ジョーカー 闇夜の対決！ジョーカーVSシャドウ
怪盗ジョーカー 銀のマントが燃える夜
怪盗ジョーカー ハチの記憶を取り戻せ！
怪盗ジョーカー 解決！世界怪盗ゲームへようこそ!!

がんばれ！ルルロロ
がんばれ！ルルロロ せかいでいちばんのケーキ
境界のRINNE 謎のクラスメート
境界のRINNE 友だちからで良ければ
境界のRINNE ようこそ地獄へ！
くちびるに歌を
グリンチ
劇場版アイカツ！
心が叫びたがってるんだ。
坂道のアポロン
貞子VS伽椰子
真田十勇士
ザ・マミー 呪われた砂漠の王女
ジュラシックワールド　炎の王国
ジュラシックワールド
SING シング
シンドバッド 空とぶ姫と秘密の島
シンドバッド 真昼の夜とふしぎの門
呪怨―ザ・ファイナル―
呪怨―終わりの始まり―

小説 映画ドラえもん のび太の宝島
小説 映画ドラえもん のび太の月面探査記

スナックワールド
スナックワールド メローラ姫を救え！
スナックワールド 大冒険はエンドレスだ！
世界からボクが消えたなら 映画「世界から猫が消えたなら」キャベツの物語
世界から猫が消えたなら
世界の中心で、愛をさけぶ
トムとジェリー シャーロック ホームズ
トロールズ
NASA超常ファイル ～地球外生命からの挑戦状～
二度めの夏、二度と会えない君
8年越しの花嫁 奇跡の実話
バットマンVSスーパーマン エピソード0 クロスファイヤー
花にけだもの
響－HIBIKI－
ペット

ぼくのパパは天才なのだ 「深夜！天才バカボン」ハジメちゃん日記
ボス・ベイビー
ボス・ベイビー ～ビジネスは赤ちゃんにおまかせ～

ポケモン・ザ・ムービーXY 破壊の繭とディアンシー
ポケモン・ザ・ムービーXY 光輪の超魔神フーパ
ポケモン・ザ・ムービーXY&Z ボルケニオンと機巧のマギアナ
劇場版ポケットモンスター キミにきめた！
劇場版ポケットモンスター みんなの物語
ポッピンQ
まじっく快斗1412 全6巻
未成年だけどコドモじゃない
MAJOR 2nd 1 二人の二世
MAJOR 2nd 2 打倒！東斗ボーイズ
ラスト・ホールド！
レイトン ミステリー探偵社 ～カトリーのナゾトキファイル～1～4

〈この人の人生に感動！人物伝〉
井伊直虎 ～民を守った女城主～
西郷隆盛 敗者のために戦った英雄
杉原千畝
ルイ・ブライユ 暗闇に光を灯した十五歳の点字発明者

〈発見いっぱい！海外のジュニア小説〉
JCオリヴィアのプリティ・プリンセス日記
JCオリヴィアのプリティ・プリンセス日記 どきどきのロイヤルウェディング

シャドウ・チルドレン1 絶対に見つかってはいけない
シャドウ・チルドレン2 絶対にだまされてはいけない

次はどれにする？ おもしろくて楽しい新刊が、続々登場!!

★小学館ジュニア文庫★ ワクワク、ドキドキがいっぱいのラインナップ

〈ジュニア文庫でしか読めないオリジナル〉

愛情融資店まごころ

アイドル誕生！ ～こんなわたしがAKB48に!?～

いじめ 14歳のMessage

お悩み解決！ ズバッと同盟 長女VS妹、仁義なき戦い!?

お悩み解決！ ズバッと同盟 おしゃれコーデ、対決!?

緒崎さん家の妖怪事件簿

緒崎さん家の妖怪事件簿 桃×団子パニック！

緒崎さん家の妖怪事件簿 狐×迷子パレード！

緒崎さん家の妖怪事件簿 月×姫ミラクル！

華麗なる探偵アリス&ペンギン

華麗なる探偵アリス&ペンギン ワンダー・チェンジ！

華麗なる探偵アリス&ペンギン ミラー・ラビリンス

華麗なる探偵アリス&ペンギン サマー・トレジャー

華麗なる探偵アリス&ペンギン トラブル・ハロウィン

華麗なる探偵アリス&ペンギン ペンギン・パニック！

華麗なる探偵アリス&ペンギン ミステリアス・ナイト

華麗なる探偵アリス&ペンギン アリスVS.ホーム

華麗なる探偵アリス&ペンギン アラビアン・デート

華麗なる探偵アリス&ペンギン パーティ・パーティ

華麗なる探偵アリス&ペンギン ホームズ・イン・ジャパン

華麗なる探偵アリス&ペンギン ウィッチ・ハント！

ギルティゲーム

ギルティゲーム stage2 無限駅からの脱出

ギルティゲーム stage3 ペルセポネー号の悲劇

ギルティゲーム stage4 ギロンパ帝国へようこそ！

ギルティゲーム stage5 黄金のナイトメア

ギルティゲーム Last stage さよなら、ギルティゲーム

銀色☆フェアリーテイル ①あたしだけが知らない街

銀色☆フェアリーテイル ②きみだけに贈る歌

銀色☆フェアリーテイル ③夢、それぞれの未来

きんかつ！

きんかつ！ 恋する妖怪と舞姫の秘密

ぐらん×ぐらんぱ！ スマホジャック

ぐらん×ぐらんぱ！ スマホジャック ～恋の一騎打ち～

さよなら、かぐや姫 ～月とわたしの物語～

12歳の約束

女優猫あなご

次はどれにする？ おもしろくて楽しい新刊が、続々登場!!

白魔女リンと3悪魔
白魔女リンと3悪魔 フリージング・タイム
白魔女リンと3悪魔 レイニー・シネマ
白魔女リンと3悪魔 スター・フェスティバル
白魔女リンと3悪魔 ダークサイド・マジック
白魔女リンと3悪魔 フルムーン・パニック
白魔女リンと3悪魔 エターナル・ローズ
白魔女リンと3悪魔 ミッドナイト・ジョーカー
月の王子 砂漠の少年
天才発明家ニコ&キャット
天才発明家ニコ&キャット キャット、月に立つ！
謎解きはディナーのあとで
謎解きはディナーのあとで2
のぞみ、出発進行!!
バリキュン!!
大熊猫ベーカリー パンダと私の内気なクリームパン！

ホルンペッター
ぼくたちと駐在さんの700日戦争 ベスト版 闘争の巻
さくら×ドロップ レシピー：チーズハンバーグ
ちえり×ドロップ レシピー：マカロニグラタン
みさと×ドロップ レシピー：チェリーパイ
ミラチェンタイム☆ミラクルらみぃ
メデタシエンド。 ～ミッションはおとぎ話のお姫さま……のメイド役!?～
メデタシエンド。 ～ミッションはおとぎ話の赤ずきん……の猟師役!?～
もしも私が【星月ヒカリ】だったら。
ゆめ☆かわ ここあのコスメボックス
ゆめ☆かわ ここあのコスメボックス ヒミツの恋とナイショのモデル
ゆめ☆かわ ここあのコスメボックス 恋のライバルとファッションショー
夢は牛のお医者さん
螺旋のプリンセス
わたしのこと、好きになってください。

〈思わずうるうる…感動ストーリー〉

奇跡のパンダファミリー ～愛と涙の子育て物語～
きみの声を聞かせて 猫たちのものがたり―まぐ・ミクロ・まる―
こむぎといつまでも ―余命宣告を乗り越えた奇跡の猫ものがたり―
天国の犬ものがたり～ずっと一緒～
天国の犬ものがたり～わすれないで～
天国の犬ものがたり～未来～
天国の犬ものがたり～夢のバトン～
天国の犬ものがたり～ありがとう～
天国の犬ものがたり～天使の名前～
天国の犬ものがたり～僕の魔法～
天国の犬ものがたり～笑顔をあげに～
天国の犬ものがたり～はじめまして～

動物たちのお医者さん
わさびちゃんとひまわりの季節